세계의 경제를 움직이는

세 계 의 경 제 를 움 직 이 는

유태인
상술／화교
상술

미야자키 마사히로 지음 | 최은미 옮김

시간과공간사

세계의 경제를 움직이는

유태인 상술/화교 상술

초판 1쇄 | 2003년 3월 10일
개정판 1쇄 | 2006년 9월 20일

지은이 | 미야자키 마사히로
옮긴이 | 최은미

펴낸이 | 임재원
펴낸곳 | 시간과공간사
등 록 | 1988년 11월 16일(제1-835호)
주 소 | 서울 마포구 신수동 340-1(201호)
전 화 | 02) 3272-4546~8
팩 스 | 02) 3272-4549

E-mail | tnsbook@naver.com

ISBN | 89-7142-196-7   03320

▶ 잘못 만들어진 책은 구입하신 곳에서 바꾸어 드립니다.

유태인과 화교의 상술

화교와 유태인에 대한 환상

화교와 유태인은 다른 민족에 비해 장사수완이 매우 뛰어나다는 공통점을 갖고 있다. 그러나 그 방법과 방식에서는 큰 차이를 보이는데 화교와 유태인은 기본 사고방식부터 완전히 대조를 이룬다.

최근에는 일본의 기업들뿐 아니라 유럽의 기업들도 '세계의 공장'이라 일컬어지는 중국으로의 진출이 대대적으로 일고 있다. 그런데 어찌된 일인지 중국으로 진출한 일본기업이 '떼돈을 벌어 성공했다'는 소식을 들은 적이 없다. 성공은커녕 오히려 손해만 보고 돌아왔다는 말들이 대부분이다. 이는 대부분의 화교들이 외국에서 성공을 거두는 경우와는 대조를 이룬다.

"감쪽같이 속았다.", "외상대금을 못 받기 일쑤다.", "기껏 기술을 전수해 주면 어느새 정교한 모조품이 나돈다.", "억지 재판으로 항상 불리한 판결을 받는다.", "겨우 이익을 남겼다 싶었더니 새로 생긴 세금이라며 잔뜩 갈취 당했다.", "상당한 뇌물을 들여 로비를 했지만 소용없었다."

위의 말들은 중국에 진출한 야오한(ヤオハン, 1995년 상하이 푸둥 개발단지에 초호화 백화점을 설립해 중국시장에 발을 내디딘 일본 백화점 바바이반의 일본명. 개점 첫날 인파가 기네스북에 오를 정도로 몰려 급성장할 것으로 전망되었으나 결국에는 실패하고 말았다. 고객이 편리하게 지나다니도록 매장 간격을 넓게 만든 것이 오히려 문제가 되었는데 매장이 텅 빈 느낌을 주어 구매심리를 위축시켰다고 한다-역주)의 파산 이래 일본기업들로부터 자주 듣는 실패 후일담이다. 그런데 일본기업의 상대가 중국인이 아니라 유태인이라면 위에 열거한 실패의 예는 거의 해당되지 않는다. 유태 사회는 중국 사회와 달리 그 사업이 합법적인가, 비합법적인가 하는 판단을 우선시하기 때문이다.

중국인을 상대로 한 사업의 경우, 예측불허의 요인으로 인해 실패가 압도적으로 많은 게 사실이다. 비록 대만에서는 대성공을 거둔 일본기업이라도 중국에서는 성공할 가능성이 희박한데 그 근본적인 원인은 법률에 관한 의식의 차이에서 나온다고 본다. 중국인은 '법률 따위는 신이 만든 것', '언제나 정부 마음대로 변경하므로 지킬 필요가 없는 것', '법률이나 약속을 지키는 사람은 바보'라는 식으로 국법을 해석한다. 법치국가라 할 수 없는 중국에서 법은 '자신 외의 사람에게는 적용'되지만 '자신은 예외'라고 여기는 경향이 짙다.

이것이 바로 중국인의 기질이며 이러한 기질은 해외에 나가 거주하는 중국인, 즉 화교에게도 짙게 깔려 있다. 이처럼 조령모개(朝令暮改, 아침에 명령을 내렸다가 저녁에 다시 고친다는 뜻으로 법령을 계속 고쳐서 갈피를 잡기가 어려움을 이르는 말-역주)식 법률 인식이 당연시되는 중국 사회에서 외국의 기업이 성공하기란 이만저만 힘든 일이 아니다.

뇌물인가? 수수료인가?

유태인은 이와는 대조적으로 법률을 중시한다. 유태인들은 "로마에 가면 로마법을 따르라!"는 원칙 아래 자신들이 진출한 각국의 법률을 철저히 따른다. 따라서 그 어떤 모험이라도 반드시 합법적인 범위 안에서 감행한다. 어떠한 분야든 그들 고유의 방식을 터득하고 실행에 옮기면 성공하게 되어 있으니 그들의 성공은 어쩌면 당연한 것이리라.

화교 사회에서는 공무원이 노골적으로 뇌물을 요구해 와도 '그것은 업무를 원활하게 추진하기 위한 하나의 방편'이라는 인식이 사회 전반에 버젓이 통용되고 있다. 그러나 유태인 사회에서는 '합리적, 과학적 사고'를 기본으로 한 윤리관이 바탕에 깔려 있기 때문에 뒷거래로 오가는 수수료나 알선료는 금기한다. 어디까지나 법으로 정한 범위 안에서 투명하고 합법적인 수수료만을 주고받는 것을 원칙으로 한다. 요컨대 장부상의 전표가 첨부된 수수료냐, 밀실거래로 오가는 수수료냐의 차이라 할 수 있다. 극히 단적인 예이긴 하나, 이 같은 가치관의 차이야말로 화교 사회와 유태 사회를 구분 짓는 기본철학이라고 생각한다.

그렇다면 해외에 거주하는 화교들도 같은 중국인인데 과연 하나같이 법률을 경시하는 것일까? 아니, 그렇지만은 않다. 같은 화교라 해도 푸젠성(福建省)과 광둥성(廣東省) 출신은 사고방식이 다르다. 홍콩은 유럽 스타일을, 대만은 완전한 일본식 경영방식을 취하고 있다. 지역이 워낙 넓다 보니 출신지역별로 차이가 있어, 이처럼 출신지를 나누어 생각하는 편이 오히려 이해하기 쉬울지도 모른다.

유태인 역시 '아시케나지'[1]와 '세파르디'[2]는 그 발상 자체가 확연히 다르다.(유태인의 본질은 제2장에서 깊이 있게 다루기로 한다.) 더구나 미국으로 이주하여 기독교도로 개종한 '유태계' 사람들은 이스라엘의 유태인과 그 발상이 근본적으로 다르다. 도대체 어떤 방식으로 관계를 맺어야 할지, 그들의 가치관에 이미 익숙해질 대로 익숙해졌다고 생각했다가도 당황하는 일이 한두 번이 아니다.

일본기업이 중국에 진출하여 성공하는 예는 거의 없지만, 해외에

---

1) 아시케나지(Ashkenazi): 유럽에서 귀화한 유태인.
2) 세파르디(Sephardi): 북아프리카, 중동에서 이주한 유태인.

나가 살고 있는 중국인이 자국에 투자하면 대개가 성공을 거둔다. 다시 말해 화교들이 중국에 투자하면 백발백중 성공한다는 것이다. 또 유태계 사업가가 가치관이 전혀 다른 중국에 진출해도 일본 기업만큼 커다란 실패는 하지 않는다. 그 이유는 유태인은 매사 철두철미하게 법을 지키기 때문이다.

이 책에서는 이러한 불가사의한 내막을 파헤쳐 보고자 한다.

화교의 본질은 '엽낙귀근(葉落歸根)'

화교 사회에는 '엽낙귀근(葉落歸根)'이라는 속담이 있다. '낙엽은 어차피 나무 밑동으로 돌아가기 마련'이라는 뜻으로, 화교의 본성을 가장 적절히 대변하는 말이다. 그들은 무엇보다 혈연과 지연을 가장 중시한다. 이러한 공동체의 초보단계를 '방(幇)'이라 하는데 직업별 공동체의 경우에는 '칭방(青幇)', '츠방(赤幇)'이 있으며, 여기서 마피아로 발전하는 공동체도 생겨났다.

최근 중국은 사회주의 계획경제를 포기하고 어느 정도 자본주의적 시장경제를 수용하고 있다. 자연히 외국과의 교류도 부쩍 늘어 이제는 제법 국제화의 물결을 타고 있다. 중국에 진출하는 외국기업이 있는가 하면 해외로 진출하는 중국기업 역시 적지 않다. 외국기업들은 하나같이 인건비를 절감하기 위해 중국으로 진출했으며, 이 같은 비용절감 의식은 필연적으로 일본에까지 확산되었다. 이로 인해 화교에 대한 관심 또한 부쩍 높아졌다. 물론 중국에 대한 정보가 전혀 없었던 이전에 비하면 지금의 이러한 관심은 놀랄 만한 수준이다.

아시아의 '네 마리 용'(대만, 싱가포르, 홍콩, 한국)과 '세 마리 호랑이'(태국, 말레이시아, 인도네시아)의 눈부신 경제성장 과정에서도 화교들의 활약은 단연 두드러졌다. 또한 세계 각국에서 화교들의 자본이 빠른 속도로 큰 영향력을 발휘하고 있다는 점 역시 이들에 대한 관심과 이해의 폭을 넓히는 데 크게 기여했다.

예를 들어 태국의 '화교'는 약 600만 명이나 된다. 이들은 태국 인구의 11퍼센트를 차지하고 있으며, 방콕에 있는 차이나타운 역시 언제나 호황으로 불야성을 이룬다. 이처럼 승승장구하는 화교들의 기세를 보더라도 그들의 눈부신 활약상을 대략 짐작할 수 있다. 당초 태국에서 자리를 잡은 '화인(華人)'들은 농산물 유통경로를 장악했다. 그래서 태국의 농가들은 작물을 고스란히 이들에게 팔아 넘겼고, 현지인들은 별수 없이 외지에서 온 화교에게 경제권을 침식당하고 말았다. 이와 같이 빼앗긴 경제권에 대한 피해의식 때문에 태국인들 사이에 민족주의(내셔널리즘, Nationalism)가 급속히 확산된 것도 사실이다.(본서에서는 '화인(華人)'과 '화교(華僑)'를 구분함에 있어 그 국가의 국적을 취득한 화교를 '화인(華人)'이라 부르기로 한다.)

인도네시아에서도 '화인'은 거의 700만에 이른다. 비록 총인구의 3.5퍼센트밖에 안 되지만, 린사오량(林紹良)을 비롯해 '인도네시아 화교'가 인도네시아 경제권의 80퍼센트를 장악했던 시기도 있었다. 그들 중 일부는 수하르토(Suharto, 1921~) 전 정권과 유착하여 상당한 이권을 챙겨, 여기서 나온 자본을 해외투자로 이전시키기도 했다. 이로 인해 정치적으로 시국이 혼란할 때면 화교에 대한 비난의 화살이 집중적으로 쏟아져 '반중국 폭동'이 일어나곤 한다. 앞으로 본문 중에 상세히 언급하겠지만, 이 지역에서 일어나는 '반일 폭동'은 거의가 이 같은 문제를 무마시키기 위해 화교가 뒤에서 조작한 자작극이다. 싱가포르를 제외한 동남아시아 대부분의 국가는 보편적으로 친일적인 경향을 보이고 있다.

화교와 유태 상인이 제시하는 교훈은 무엇인가?

이 책에서는 우리들에게 잘 알려진 화교 및 유태 상인 몇 명을 선별해 그들의 성공담을 간략하게 소개함과 동시에 그들의 사고방식과 행동양식에서 교훈을 얻고자 한다.

홍콩 재계의 일인자 리카싱(李嘉誠, 리자청) 그룹은 홍콩 주식시장에서 발행하는 주식 가운데 14퍼센트를 보유하고 있다. 영국계 종합상사 '자딘매디슨(Jardine Matheson, 중국이름은 이화양행(怡和洋行), 사전양행(渣甸洋行)으로 W.자딘과 J.매디슨이 1832년 마카오에 설립한 영국의 중국 무역회사다-역주)'이나 유태계의 자본으로 운영되는 '홍콩상하이은행(香洪上海銀行, Hongkong & Shanghai Banking Corp. 홍콩을 본거지로 하는 HSBC 그룹 산하의 은행으로 모회사인 HSBC 그룹은 런던에 본부를 두고 전세계 79개국에 5,000여 개의 지점을 운영하고 있으며, 아시아 태평양 지역에만 해도 700여 개의 지점을 운영하고 있다-역주)'이 홍콩의 경제권을 장악하고 있었던 것을 생각하면 이러한 변화는 상당한 것이다.

그러면 리카싱을 비롯한 화교와 유태 상인들은 어떻게 이러한 성공을 거둘 수 있었을까?

첫째, 리카싱은 영국계의 종합상사였던 '허치슨왐포아(Hutchison Whampoa)'를 매수하여 단번에 기존의 상권을 장악했다. 그는 상권을 확대하는 데 있어 '부동산 투자'라는 수단을 이용했다. 대부분의 홍콩 재벌이 도약할 수 있었던 발판은 다름 아닌 부동산이었기 때문이다. 리카싱 그룹이나 '핸더슨랜드(Henderson Land)'를 이끄는 리자오지(李兆基) 그룹이 성공을 거둔 것은 부동산 투자의 대성공 덕분이다.

둘째, 그들은 탁월한 정치 감각을 가지고 있다. 이 책에서는 바로 이 정치 감각에서 나오는 분산투자의 비결을 알아보고자 한다. 이들 신흥 아시아 화교들에게서 공통적으로 나타나는 사실은 중국에 자본주의가 통용되지 않았던 시기에도 독재정권의 중국대륙과 대등하게 교섭하여 상권을 점차 확대해 성공을 거두었다는 점이다. 일본으로서는 감히 흉내조차 낼 수 없는 일이다.

'화인'은 자신들이 진출한 국가에 대한 귀속의식이 희박하여 그 지역의 습관이나 풍속을 쉽게 받아들이지 못하는데 독자적인 중국의 인습을 고수한 채 혈연 위주로 단결한다. 비록 처음에는 소자본으로 시작하지만 마침내 점포를 갖기에 이른다. 그리고 그 지역의 연고자니 친족의 소개로 연립하여 내규모 거래로 발전시켜 나간다.

화교 사회는 크게 광둥계(廣東系), 푸젠계(福建系), 차오저우계(潮

州系), 하이난계(海南系), 커자계(客家系) 등 5대 그룹으로 나눌 수 있다. 더 나아가 광둥(廣東)은 메이셴(梅縣)의 커자(客家)로, 광저우 (廣州)는 순더(順德)나 자오칭(肇慶)으로 세분화된다. 차오저우(潮州) 는 리카싱의 출신지로, 홍콩에 가본 사람들은 도처에서 성업 중인 '차오저우(潮州) 요리'를 경험한 바 있을 것이다.

차오저우는 혁명 이후 행정 관할구역이 '광둥성'으로 귀속되었지 만, 언어는 그들 고유의 차오저우어(潮州語)를 사용한다. 언어구조 상 이 차오저우어는 광둥어(廣東語)가 아니라 푸젠어(福建語) 계열에 속한다. 그들은 오직 자신들의 그룹 외에는 믿지 않는다. 따라서 외지 사람들과 원만하게 지내기가 힘들다. 그런데 현재 화교·화인 의 기업 가운데는 세계적인 복합기업(Conglomerate)[3]으로 발전해 '화 교상사화(華僑商事化)'한 기업도 있다. 그들은 자신들의 전통을 고수 하면서도 근대적인 자본주의 체제에 쉽게 융화되었다. '자본주의' 체제에 어째서 이 같은 방식이 가능할까? 자유경쟁의 원리가 화교 사회에서도 제 기능을 할 수 있는 것인지, 다소 어렵지만 이 문제도 더불어 생각해 보고자 한다.

대만 사업가는 화교라기보다 유상(儒商)

---

3) 복합기업(Conglomerate): 여러 종류의 기업을 차례로 흡수하여 거대 기업으로 팽창한 세계적 규모의 기업.

대만의 특수한 정치적 조건 아래서 '일본적 경영방식'을 중심으로 자본주의 윤리를 세계에 통용시키려는 사업가들이 있다. 이 책에서는 대만의 마쓰시타 고노스케(松下幸之助. 1894~1989, 일본 최고의 가전업체인 마쓰시타전기의 창업자이다-역주)라 불리는 왕융칭(王永慶)이나 해운상인 장룽파(張榮發)를 과연 '화교'의 범주에 포함시켜야 할지 말아야 할지 상당히 망설였다.

특히 대만 재계의 총리라 불리는 구전푸(辜振甫)는 일본인과 거의 다를 바가 없다. 그러나 중국인임에 틀림없고, 경영방침은 일본식이지만 그 근본은 분명 중국인의 발상에서 나온 것이다. 히이즈미 가츠오(桶泉克夫) 교수는 구전푸를 '유상(儒商, 유교적 덕목을 갖춘 상인)이라 불렀는데, 그야말로 구전푸를 정확히 대변하는 절묘한 표현이라고 볼 수 있다.

에버그린(Evergreen Marine) 그룹 총수인 장룽파(張榮發)의 '에버그린통운'이 보유하고 있는 컨테이너는 세계 해운회사 상위 10개 사가 보유한 컨테이너 총수의 11퍼센트에 상당한다. 에버그린은 세계에서도 손꼽히는 해운회사에 속할 뿐만 아니라 대만 각지에 호텔도 경영하고 있다. 또한 일찍이 항공사업에도 진출하여 일본에도 도쿄(東京), 삿포로(札幌), 오사카(大阪) 노선을 운항하고 있다.

에버그린 그룹은 리덩후이(李登輝), 천수이볜(陳水扁)과 같은 전·현직 대만 총통과 각별한 친분관계에 있는데도 중국 진출에 아주 적극적이다

"경제적으로 중국과 대만은 서서히 통일의 조짐이 보인다."는 『이코노미스트』(2002년 1월 5일호)지의 분석은 과연 얼마나 신빙성이 있

는 것일까? '결국 통일된다'는 엄청난 관측이 나돌고 있는데도 대만 기업이 이처럼 여유를 보이는 것은 도대체 무슨 이유 때문일까? 중국인들 사이에만 통하는 장사 비결이 있기 때문에 그토록 자신만 만한 것일까?

화교 본래의 의미는 '임시거처'

본래 화교는 '중국인(=華)이 임시로 거처하다(=僑)'는 뜻에서 나온 개념이다. 미국은 물론 동남아시아에 진출한 대부분의 화교는 각기 거주국의 국적을 취득했다. 이 때문에 그들을 '화인(華人)'이라고 총 칭하는 경우가 많다. 이는 인생의 마지막 목표를 금의환향으로 삼 았던 예전에 비하면 정말 많은 변화를 보이는 것인데, 화교의 생활 방식이 이나마 변모한 것은 유태인적 삶의 방식을 추종한 결과일 까? 아니면 화교의 감각이 그만큼 세계의 보편적 가치에 접근했다 는 반증일까? 최근 '화인'들은 거주국 사람들과 공생의 길을 함께 걷는 양상을 보이며 적극적으로 '화인'임을 자처하기 시작했다. 이러한 움직임은 한때 논쟁거리였던 '유태인인가, 유태 계인가?' 하는 쟁점과 그 모습이 비슷하다.

종래의 '화교'는 다른 인종과의 결혼 및 국적 변경을 금했다. 또한 절대로 중국인의 문화적 전통을 버리지 않았다. 지면 관계상, 여기 에서는 자세히 논할 수 없지만 '커자(客家)'도 이와 마찬가지다. 커 자는 본래 한족으로서 중위안(中原)에 혈연과 지연을 둔 집단이다.

커자 토루의 내부 모습

중위안문화가 이민족의 문화를 흡수한 것에 비해 커자는 한족 고유의 문화를 유지함으로써 중위안문화(中原文化)와는 다른 독특한 문화를 형성하게 되었다.

한때 '커자 삼인방'이라 불리던 덩샤오핑(鄧小平), 리덩후이(李登輝), 싱가포르의 독재자 리광후이(李光輝)가 막후에서 밀접하게 관련되어 있다는 설이 나돌았던 적이 있는데, 이것도 그 기본구조는 유태 음모론과 비슷하다.

사실 커자에 대한 평가는 과장된 감이 있어 그 실태를 살펴보면 소문과 상당히 다르다. 대만에서 커자가 밀집해 사는 지역은 타오위완(桃園), 신주(新竹) 부근이며, 언어는 주로 베이징어와 대만어를 사용하고 커자어를 구사하는 사람은 거의 없다. 또한 현재 중국 대륙에 남아 있는 토루(土樓, 커자가 만들어 낸 독특한 주거형태의 촌락-역주)는 실질적인 주거용이라기보다는 관광명소로서의 역할을 하고 있다. 사람들은 대부분 돈벌이를 위해 도회지로 나가 촌락은 거의 텅 비어 있다. '커자 삼인방 스토리'와 같은 커자 커넥션이 국제적으로 작용하고 있다는 풍문은 과장된 평가다. 본문에서 상세하게 살펴보기로 하자.

세계의 화교 분포(1999년 말)

지역	국가	인원	지역	국가	인원
유럽지역	영국	270	아프리카지역	남아프리카	40
	프랑스	225		모리셔스	30
	네덜란드	130		마다가스카르	28
	독일	101		나이지리아	4
	이탈리아	61		리유니온(프랑스령)	1
	스페인	41		레소토	1
	오스트리아	40		모잠비크	1
	벨기에	23		세-쉘	1
	헝가리	23		탄자니아	1
	스위스	14		가나	1
태평양지역	오스트레일리아	420	아메리카지역	미국	3,060
	뉴질랜드	130		페루	1,300
	폴리네시아(프랑스령)	20		캐나다	1,010
	괌	6		브라질	133
	바누아투	3		파나마	130
아시아지역	인도네시아	6,970		베네수엘라	60
	태국	6,640		코스타리카	60
	말레이시아	5,598		아르헨티나	40
	싱가포르	2,473		수리남	40
	필리핀	1,030		에콰도르	32
	러시아	1,000		자메이카	22
	미얀마	1,000		멕시코	19
	베트남	1,000		도미니카	18
	캄보디아	300		과테말라	14
	일본	272		볼리비아	12
	인도	172			
	라오스	160			
	브루나이	49			
	터키	40			
	사우디아라비아	32			
	한국	22			

출처-「대만통계연감」

C·O·N·T·E·N·T·S

서문 ‖ 유태인과 화교의 상술 5

① **화교 재벌계의 일인자**

리카싱 홍콩 재벌계의 일인자 25

'홍콩플라워'에서 출발한 보기 드문 성공이야기 · 스캔들을 두려워하지
않다 · 여전히 사건의 여파가 남아 있는 장남 납치사건 · 빈곤과 혼돈
속에서 기회를 잡다 · 차남 리처드의 모험과 좌절

소 에도노 살림 제국의 지는 해 38

가족 제일, 동향출신자 우선의 혈연 · 지연주의 · 자카르타의 지는 해

② **로스차일드의 전설**

로스차일드 유태 재벌의 대명사 49

유태인 이야기의 원류 · 유태 배척을 위해 만들어진 월가의 '벽' · 디아스포라(Diaspora) · 로마에게 멸망당할 때까지 · 로스차일드 전설 · 나폴레옹에게 이기다 · 로스차일드가의 화려한 봄날은 얼마 가지 못했다 · 세계경제의 구조 문제는 미국의 부채에 달려 있다 · 러일전쟁으로 인해 발행된 전시국채 · 미국에도 국가 위기 상황이 있다

골드스미스 수수께끼투성이의 미국 기업가 66

골드스미스 신화 · 새로운 게임의 룰은 자신이 만들어 가는 것이다

③ **구전푸의 화려한 일족**

구전푸 대만 경제를 점령한 화려한 일족 75

대만 재계의 총리 · 대만이 일본의 식민지 통치하에 있었을 무렵 · 외래 정권은 구전푸 일족도 탄압했다 · 구(辜) 그룹의 후계자는 구렌송 · 머지않아 금융 비즈니스의 일본 진출도 가능 · 리처드 구 역시 구(辜) 그룹의 일족 · 일본식 경영방식의 장점을 최대한 도입한 기업

④ **다이아몬드와 오펜하이머**

오펜하이머 다이아몬드 이권의 왕국 95

빌 게이츠와의 공통점이 있다 · 유태국가 이스라엘과 드비어스의 갈
등 · 다이아몬드에 눈독을 들이고 있던 과격파 · 금력, 권력 그리고 권
위

⑤ 대만의 꿈을 실현한 두 사람

왕융칭 대만의 마쓰시타 고노스케 109

대만의 성공기 · 정치적 발언을 시작하다 · 그래도 계속되는 대륙 진출

쉬원룽 노장 사상을 토대로 한 경영방침의 실행자 121

왕융칭과 대조적인 스타일의 경영인 · 액정 패널 분야에도 대대적으로
진출하다

⑥ 조지 소로스의 빛과 그림자

조지 소로스 세계를 뒤흔든 헤지펀드 133

세계 제일의 투자가 조지 소로스의 전설 · 소로스의 투기전술 · 아시아
통화위기의 이면에서 · '경제의 우등생' 대만도 습격을 당했다 · 소로스
의 최종 표적은 홍콩이었다 · 러시아 위기의 방아쇠를 당기다 · 노병은
단지 사라질 뿐

⑦ 화교의 신세대

리자오지 부동산의 흥망 155

세계의 부호 순위 4위 진입 · 쾌재를 부르던 황금시대

지미 라이 홍콩의 신세대 160

리펑의 IQ는 거북이알 수준이라고 비판하다 · 지미 라이와의 대화

장룽파 에버그린 170

한 척의 중고선에서 세계 제일의 컨테이너 해운업으로 부상 · 변화에
민감하라

⑧ 유태의 신세대

블룸버그 금융정보제국 177

블룸버그의 뉴욕 · 무엇을 할까 명확히 제시하라 · 통신의 다른 분야에
괄목하다 · 특화된 부가가치정보 · 뉴욕시장이 되기까지

에비 코헨 월가의 신교조 188

그녀의 예측이 계속 적중하는 비결은 무엇인가? · 철저한 이론 무장으로 임하는 강인한 파워

⑨ 유태인과 화교의 공생

유태인과 화교의 공생　195

유태인과 화교가 할리우드에서 '공생'을 시작했다 · 영화도 역시 정보 조작의 무기이다 · 할리우드의 색채가 달라졌다 · 어째서 유태인이 할리우드영화를 지배할까? · 할리우드영화의 전면에 유태의 발상을 제시하다

후기　‖　유태인의 합리주의, 화교의 지연·혈연주의　207

화교 재벌계의 일인자

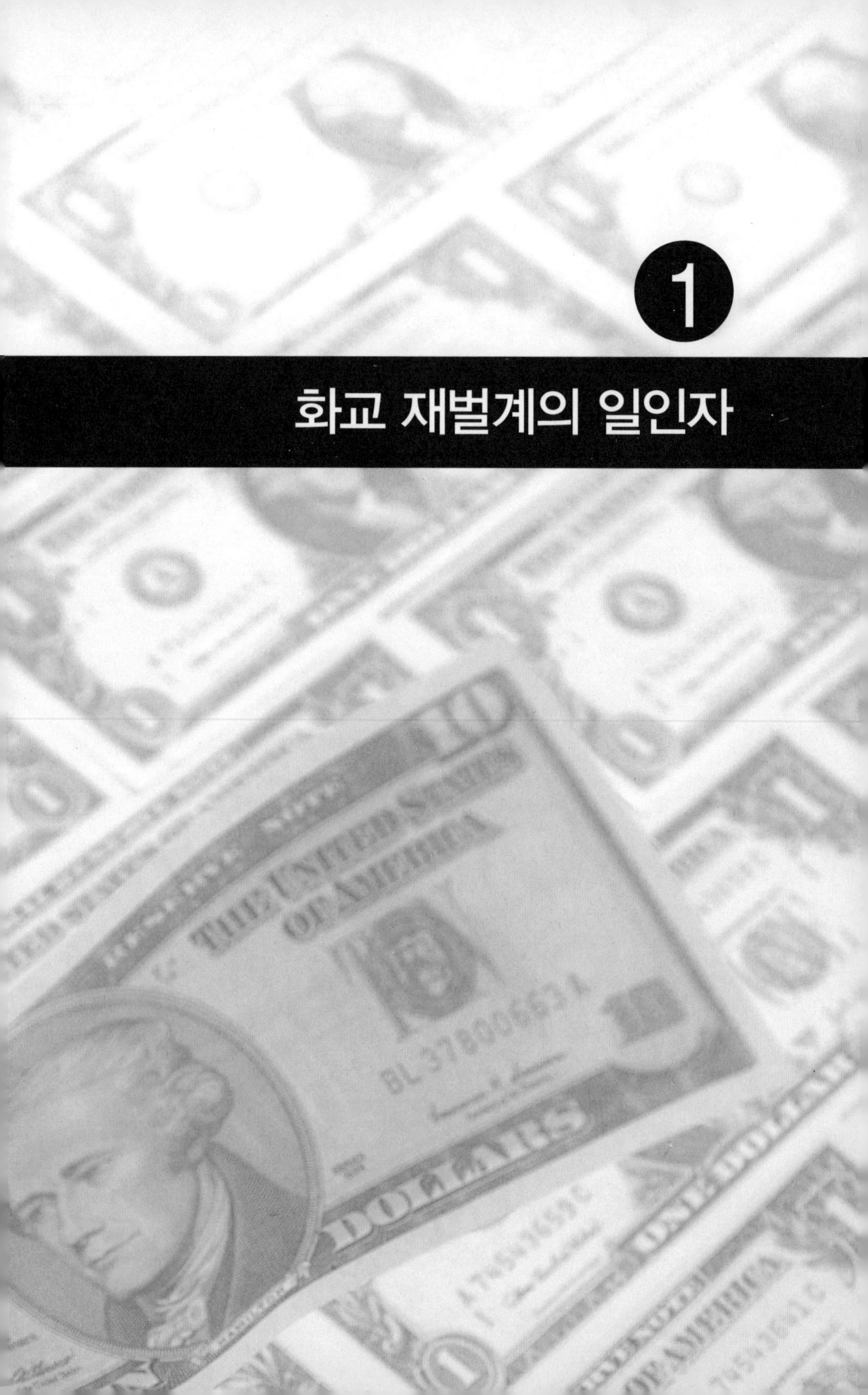

리카싱

홍콩 재벌계의 일인자 - 꽃 배달사업을 추진해 왔던 영세기업이 어떻게 급부상했을까? 리카싱은 자유주의를 억압하는 위협적인 존재로 여겨졌던 중국에 진출해 오히려 중국의 '개혁개방' 노선에 적극 협조해 성공의 발판을 다졌다.

'홍콩플라워'에서 출발한 보기 드문 성공이야기

홍콩 재벌의 일인자 리카싱(李嘉誠, 리자청) 그룹의 주식은 홍콩 주식시장에서 발행하는 주식 가운데 14~20퍼센트를 보유하고 있다. 리카싱 그룹의 주식 점유율은 홍콩이 중국에 반환된 뒤에도 감소하기는커녕 오히려 증가하는 경향을 보였다. 리카싱의 주력 기업은 '창장실업(長江實業)'과 '허치슨왐포아(Hutchison Whampoa, 영국자본을 매수한 대기업)'인데, 이 두 그룹의 행보는 홍콩뿐 아니라 세계 저널리즘의 관심 대상이 된다.

솔로몬스미스바니(Solomon Smith Barney) 증권은 2002년 1월 16일에도 창장실업과 허치슨왐포아의 주가가 주식시장의 평균 시세를 상회하고 있다고 발표했다. 요컨대 투자종목으로서 적극 추천한 셈이다. 이 두 그룹의 목표 주가는 한 주 순자산(BPS)을 1퍼센트 웃도는 78.275달러(홍콩달러)다. 이는 중핵사업인 항만사업의 호조가 예상되는 것 외에도 이 회사가 보유하고 있는 영국의 보다폰(Vodafone) 주와 독일의 도이치텔레콤(Deutsche Telecom) 주의 추정이익이 75억 달러(홍콩달러)에 달한다는 점을 감안하여 내다본 금액이다.

꽃 배달사업을 추진해 왔던 일개 영세기업이 어떻게 여기까지 급부상할 수 있었을까? 영국계 대기업인 자딘매디슨(Jardine Matheson)이나 HSBC홀딩스(HSBC Holdings, 1865년 토머스 서덜랜드가 설립한 영국의 은행으로 경영 일족이 유태계다-역주) 등은 1997년 홍콩 반환 이전에 본사를 재빨리 해외로 옮겨 최악의 시나리오인 중국정부의 국유화 정책에 대비했다. 이처럼 앵글로색슨계나 유태계는 국가 위기에 기민하게 대응해 발 빠른 움직임을 보이며 다각적이며 합리적인 분산투자를 실행했다.

그러나 리카싱은 이와 반대로 당시 자유주의를 억압하는 위협적인 존재로 여겨졌던 중국에 진출해 오히려 중국의 '개혁개방' 노선에 적극 협조하는 자세를 보였다. 그는 홍콩 경제인의 선두에 나서며 대대적인 부동산 투자를 추진했다. '분산투자'가 안정적이기는 하나 그다지 합리적이지 않다고 판단했기 때문이다. 이 같은 그의 견해를 대표하는 상징물이 바로 베이징(北京) 왕푸징(王府井)에 우뚝 솟아 있는 리카싱 그룹의 쌍둥이 빌딩이다. 주위에 빈쩍빈쩍 빛을 발하는 이 빌딩은 오늘의 리카싱 그룹과 중국 사이의 양호한 관계를 상징하고 있다고 볼 수 있다.

그러나 리카싱이라고 해서 처음부터 순순히 베이징의 요구에 응한 것은 아니다. 리카싱은 어디로 튈지 모르는 럭비공과 같은 중국 공산당에 대해 내내 의구심과 경계심을 늦추지 않으면서 아주 신중하게 대응했다. 그러다가 결국은 1995년 4월경에 '리카싱의 변심'에 관한 소문이 나돌기 시작했다. 이는 중국정부가 전개하던 권력 투쟁의 여파를 정면으로 받은 결과였다.

스캔들을 두려워하지 않다

리카싱은 중국에 진출한 지 얼마 안 되어 스캔들에 휘말리게 되었다. 중국 공산당 현직 정치국장이었던 천시퉁(陳希同) 전 북경시장과 서우강(首鋼) 그룹 저우베이팡(周北方) 사장의 체포 사건이 그 스캔들의 원인이었다. 이들 두 사람은 직권을 남용한 부정부패 혐의로 장쩌민(江澤民)에 의해 처형되었다.

'읍참마속(泣斬馬謖, 큰 목적을 위해 자신이 아끼는 자를 버림-역주)'이라는 고사성어 그대로, 장쩌민은 자신의 정적(政敵)을 교묘하게 배제시키기 위해 덩샤오핑(鄧小平)의 인맥과 관련된 최고 간부를 차례차례 희생시켰다. 물론 장쩌민의 인맥은 보호를 받아 무사했다. 고위 정치국원인 천시퉁은 서열상 한참 아래 직급에 지나지 않는 장쩌민을 무시한 채 뇌물을 챙기는 등 북경의 이권을 제 맘대로 휘둘러 왔으나 그 후, 완전히 실각해 내몽골의 감옥에 수감되었다. 그리고 당시에 리카싱은 천시퉁과 친밀하다고 알려져 있었다.

한편 직권 남용으로 체포, 기소되어 '사형' 판결을 받은 저우베이
팡은 덩샤오핑 최대의 지지자였던 저우관우(周冠五)의 장남이다. 이
사건은 '태자당(太子黨, 중국 당·정·군·재계 고위층 인사들의 자녀를 일
컫는 말이다-역주)'의 부패의 상징이라 일컬어졌으며, 다음번에는 덩
샤오핑의 차남이나 딸들에게 수사의 손길이 뻗칠 것으로 예측되었
다.

이 사건으로 인해 홍콩(香洪), 상하이(上海), 선전(深圳)을 무대로
한 덩샤오핑 일가의 부동산 및 증권사업은 여지없이 난관에 부딪쳤
다. 장쩌민은 '정신문명'이라는 구호 아래 부정부패 척결을 내세우
며 덩샤오핑의 일족을 처벌하였는데, 사실 그의 본래 의도는 자신
과 적대적 관계에 있는 정적들을 모조리 해치우는 데 있었다.

장쩌민은 1989년 상하이 시장에서 총서기로 발탁되는 이례적인
승급으로 최고 권력의 자리를 차지했다. 혹자는 '톈안먼사건(天安門
事件)'이 없었다면 이러한 뜻밖의 인사는 도저히 상상도 못할 일이
라고 했다. 자오쯔양(趙紫陽)의 뒤를 이어 양상쿤(楊尚昆) 국가주석
이 실각하자 장쩌민은 국가주석을 겸임하는 등 절대 권력을 휘둘렀
다. 이어 그는 덩샤오핑이 식물인간이 되었다는 정보를 입수하고는
매섭게 자파의 권력기반 다지기에 나서기 시작했다.

이 같은 정치권의 권력투쟁을 홍콩의 사업가들은 가능한 피해
가려고 한다. 리카싱이 중국에 대해 점차 경원시하는 자세를 보인
것도 승승장구하는 장쩌민의 기세를 피해가려는 결과라고 볼 수
있다.

그런데 스캔들은 의외의 방향에서 터졌다. 보수장로파의 반발을

두려워 한 장쩌민은 처벌할 당사자를 정면에서 비판하지 않고도 궁지로 내모는 교묘한 술수를 쓴 것이다. 예를 들어 천시퉁의 심복이었던 북경부시장에게 모든 부조리 혐의를 뒤집어씌우고 의문사를 당한 그의 죽음을 자살로 몰아갔다. 이미 왕바오선(王寶森) 전 북경부시장은 할리우드 영화배우나 소유할 법한 저택을 짓고 호텔의 스위트룸을 장기 계약하여 17명의 첩과 놀아나는 등 2,000만 달러를 횡령했다는 혐의로 검거됐었다. 한편 저우베이팡 역시 수천만 위엔(元)의 공금을 횡령하여 홍콩의 대저택에서 여러 명의 첩을 거느리며 스포츠카를 타고 놀아났다는 혐의로 검거됐다.

장쩌민은 기강확립의 특효약으로 '사형'을 들고 나와 정적을 차례차례 쓰러뜨리더니 마침내 그들이 지니고 있던 이권을 모조리 가로챘다.

이 같은 장쩌민의 시정 방침으로 인해 리카싱의 사업도 적잖은 타격을 받게 되었다. 그리고 북경의 수많은 개발 프로젝트는 일시적인 난관에 봉착했다. 특히 홍콩 반환 전에는 "국가의 근간인 에너지사업을 민간에게 맡길 수 없다."는 소문이 나돌아 리카싱 산하의 홍콩전력(香洪電力)조차 중국에 환수당할 뻔했다.

여전히 사건의 여파가 남아 있는 장남 납치사건

자딘 그룹은 돌연 본사를 바유다로 이전했다. 이 회사는 아편전쟁 이후 150년간 사실상 홍콩경제를 지배해 왔다고 해도 과언이 아니다. 자딘 그룹 산하 6개 기업은 주식을 혼란스러운 홍콩 주식시장에서 안전한 싱가포르 주식시장으로 옮겼다. 그러나 중국정부와 원만하게 지내보려던 스와이어(Swire) 그룹은 홍콩에 남기로 결의를 표명했는데 그때 기간산업인 캐세이퍼시픽항공(Cathay Pacific Airways)의 자회사 드래곤에어(Dragon Air)를 중국에 환수당하고 말았다. 당시, 배후에는 리펑(李鵬) 수상이 있다는 소문이 나돌았는데 리펑은 드래곤에어의 주주였다.

중국 국무원(國務阮) 직계의 CITIC퍼시픽은 회사의 방침이라며 돌연 가격의 24퍼센트를 할인한 헐값에 자사주 30억 주를 룽즈젠(榮智建) 회장 측에 양도하는 횡포를 부리기도 했다. 리카싱은 CITIC퍼시픽에도 출자하고 있었다. 추정이익만 해도 일본엔화로 462억 7,000만 엔이나 되는 주식 양도에 뭔가 석연찮은 점을 감지한 홍콩SEC(증권거래위원회)는 조사에 착수했다.

중국 고관들은 지금까지 탄탄대로를 걸어온 리카싱을 완전히 따돌리며 자기들 마음대로 전횡을 휘둘렀다. 때문에 리카싱은 화가 머리끝까지 치밀었다. 덩샤오핑의 개방노선을 타고 가장 먼저 친중파(親中派)로 변신해 베이징, 상하이, 광저우, 난징(南京) 등지에서 부동산 관련 대형 프로젝트를 몇 건이나 전개해 온 리카싱 일가였지만, 이 정도까지 냉대를 받으니 더 이상 앞일을 두고 볼 수 없었다. 그래서 리카싱은 지금까지 중국을 주무대로 했던 사업 기반을 캐나다, 오스트레일리아로 이전하기 시작했다. 기업의 인수·합병(M&A)을 통해 현지기업을 차례로 매수한 점만 보더라도 이미 상당한 재산을 해외로 빼돌렸음이 분명했다. 이는 만일의 사태에 대비한 최후의 보루였던 것이다.

리카싱의 주력 사업은 부동산 개발인데 빌딩뿐 아니라 도로, 교량, 발전소 건설 등 일본의 종합건설 이상 가는 대규모로 추진했다. 허치슨왐포아만 해도 자회사에 항만서비스, 슈퍼마켓, 휴대전화사업을 벌이는 등 그 규모가 실로 방대하다.

참고로 세계 제일의 부호로 알려진 마이크로소프트(Microsoft)의 빌 게이츠(Bill Gates)의 자산은 280억 달러인데, 리카싱 그룹의 전 자산이 그 정도라고 하니 대단하지 않은가. 한편 리카싱 그룹의 성공에 대한 민중들의 시샘 역시 결코 무시할 수 없을 만큼 무서웠다.

따라서 이런저런 이유로 인해 중국에 대한 리카싱의 투자열은 차츰 식어 가고 있었다. 나와 알고 지내는 홍콩의 한 금융 관계자는 리카싱이 중국에 투자하는 금액은 전 재산의 10퍼센트에도 못 미칠 거라고 귀띔을 해주었다.

그런데 이번에는 엎친 데 덮친 격으로 '후계자의 납치'라는 타격이 리카싱을 덮쳤다.

1997년 리카싱의 장남 빅터(Victor)가 납치당하는 사건이 발생했다. 그를 납치해 수백만 달러의 몸값을 가로챈 마피아집단은 결국 광둥(廣東)에서 사형당했다. 이 사건은 홍콩에서 발생한 범죄임에도 홍콩 행정당국이 아무런 대책 하나 강구하지 못해 홍콩 시민들의 기억 속에 뒷맛이 개운치 않은 사건으로 남아 있다. 아무튼 사건 이후 장남 빅터는 매스컴 앞에 그 모습을 좀처럼 드러내지 않았다.

장남 납치사건이 일어났을 때, 리카싱은 경찰에 알리지 않은 채 마피아와 안면이 있는 대리인을 시켜 사건을 해결했는데 몸값으로 얼마의 비용을 치렀는지에 대해서는 명확히 밝혀지지 않았다. 리카싱의 이러한 태도는 홍콩의 자치를 신용하지 않는다는 반증이라 하여 홍콩 시민들은 몹시 분개하기도 했다.

리카싱은 빅터가 6살 되던 무렵부터 영국인 개인교수를 고용해 '회사경영이란 무엇인가?'라는 제왕학(帝王學)을 가르쳤다. 그 후 빅터는 캐나다에서 미국 프린스턴대학교(Princeton University)로 유학을 가서 토목공학을 전공했다. 대부분의 화교가 그렇듯이 동생 리처드(Richard) 역시 일찍부터 캐나다 국적을 취득했다.

리카싱뿐 아니라 홍콩에서는 부잣집 자제들을 노리는 납치사건이 자주 발생하고 있으며 몸값을 지불하고도 어처구니없이 살해당하는 사건이 1년에 50건 가까이 된다고 한다. 또 부유층의 고급 외제승용차를 훔쳐서 반값에 되파는 절도행위로 돈벌이를 하고 있는 홍콩 마피아도 있다. 마피아에게 있어 납치는 더 바랄 나위 없는 수익원인 셈이다. 홍콩 마피아는 곧잘 영화의 소재로 등장하기도 하는데 흉악하고 조직적인 범죄망이 전국에 퍼져 있어 그들에게 경찰 따윈 있으나마나 한 존재라고 한다.

빈곤과 혼돈 속에서 기회를 잡다

끊임없이 이러한 구설수에 오르내리는 리카싱은 도대체 어떠한 인물일까?

일개 난민에 지나지 않았던 리카싱이 꽃 배달사업의 중소기업을 시작한 것은 1950년대다. 그는 한 푼 두 푼 모은 소자본으로 홍콩의 공장들을 하나씩 사들였다. 제조업이 궤도에 올라 공장 용지의 수요가 대폭 늘어날 것이라는 그의 예측은 들어맞았다. 그리고 1980년대부터 베이징, 상하이, 우한(武漢) 등지에서 호텔, 쇼핑센터의 개발에 과감하게 투자한 결과, 지금은 세계 24개국에 7만 명의 종업원을 둔 초국적 그룹으로 성장하기에 이른 것이다. 그의 주력 기업인 '창장실업'과 '허치슨왐포아'가 추진하는 분야는 전력, 통신, 운수, 창고, 부동산개발에 이른다. 일본에도 사업의 손길을 뻗은 리카싱은 도쿄(東京), 야에스코(八重洲口)의 광대한 부지를 사들여 '퍼시픽 센추리플라자빌딩(Pacific Century Plaza Building)'을 세워 매스컴과 투자가들에게 화제가 되기도 했다.

장남 빅터는 네덜란드 최대의 터미널 기업을 매수했을 뿐 아니라, 영국에서도 해운유통 관련 기업을 여러 차례 매수하여 지금은 '유럽 최대의 해운업'을 이끌고 있다. 이 밖에도 캐나다의 허스키에너지(Husky Energy), 영국의 GI시멘트(GI cement), 오스트레일리아의 부동산기업 등을 매수했다.

차남 리처드의 모험과 좌절

차남인 리처드도 캐나다를 주무대로 다국적기업을 이끌어 왔는데, 당시 그의 월급은 5만 달러(캐나다달러)였다고 한다.

이렇게 해외를 주무대로 한 장남과 차남의 화려한 사업 전개는

다른 각도에서 보면 해외로의 자산 이전의 수단이 되었다고 볼 수도 있다.

홍콩 주식시장에서 시가 발행액 1위는 허치슨왐포아, 2위는 케이블&와이어리스홍콩(C&W), 그리고 3위는 PCCW (Pacific Century Cyber Works), 4위는 창장실업인데 이 네 기업 모두 리카싱 그룹 산하의 기업들이다.

4년 전에 3위로 급부상한 PCCW는 사실 설립된 지 얼마 되지 않은 신규회사였는데 마술에 가까운 기적은 바로 그때 일어났다. 이제 갓 생겨난 벤처기업인 PCCW가 중국정부의 든든한 후원을 배경으로 2위인 케이블&와이어리스홍콩을 매수한 것이다. 당시 시가총액 211억 달러의 PCCW가 277억 달러의 C&W를 덜컥 매수한 데 대해 "감히 잔챙이가 대어를 삼켰다."며 홍콩매스컴들은 온통 떠들썩했다.

이 신흥 통신회사를 진두지휘한 사람이 리카싱의 차남 리처드였다. 즉 리카싱 자신은 중국대륙에서 서서히 발을 빼는 대신 차남인 리처드를 내세워 중국에 다가선 것이다. 당시 일본의 광통신은 주가 폭락으로 한창 곤경에 처해 있었는데, PCCW는 그러한 악조건의 광통신과도 주식을 교환했다. 이와 더불어 대만 재벌 제2위인 구전푸, 구렌송(辜濂松) 그룹(제3장에서 상세히 언급하기로 함.)은 아시아 전역에 걸친 통신 네트워크 전문의 거대 벤처기업을 외국자본과 공동으로 설립하기로 합의하기도 했다. 미국의 『비즈니스위그』지는 PCCW의 실력은 AOL(America Online), 야후(Yahoo)에 이어 세계 제3위라는 순위를 매겼다. 홍콩의 투자가들은 리카싱의 아들이 하는 사업이니 안심하고 투자할 수 있다며 너나없이 달려들었고, PCCW 는 홍콩 주식시장에서 천문학적인 자금을 별 어려움 없이 조달할 수 있었다.

NTT(Nippon Telegraph and Telephone Corporation, 일본전신전화(주))에 필적하는 C&W를 285억 달러로 매수하는데 성공한 리처드에게는 "장차 통신혁명의 중추기업이 될 것이다.", "선견지명이 있는 멋진 구매였다."는 극찬이 쏟아졌다. 사실 C&W는 세계 18개국에 1만 4,000명의 사원을 둔 거대기업으로 영국 식민지 시대에는 전화통신 사업을 거의 독점하다시피 해왔다.

차남 리처드는 이 거대한 정보업체의 매수를 손쉽게 성공시킴으 로써 형을 제치고 리카싱 그룹의 후계자로 지목받았다. 일이 이쯤 되고 보니, 리처드의 차기 경영전략은 무엇인가가 화제에 올라 세 간의 주목을 받게 되었다.

리처드는 음력 정월에 각계의 저명인사들을 홍콩 대저택에 초대 해 화려한 파티를 개최하였으며, 미국의 유명 여가수 휘트니 휴스 턴을 초대한 연회까지 베풀기도 했다. 게다가 그 자리에서 홍콩의 통신 네트워크뿐 아니라 전 아시아의 CATV, 사이버통신, 영화배급 등의 분야를 장악하겠다는 구상을 털어놓기도 했다. 사실 그의 최 대 라이벌은 일본기업이 아니라 세계의 매스컴 왕 루퍼트 머독 (Murdoch, Keith Rupert. 오스트레일리아 출신의 미디어 사업가. 52개 나라에 서 뉴욕포스트, 타임스, 폭스 방송, 20세기 폭스, 스타 TV, LA다저스 등 780여 종의 사업을 펼치고 있는 미디어 재벌로 뉴스코퍼레이션(News Corporation)의 대 표-역주)이다. C&W의 매수 경쟁에서도 10억 달러의 현찰을 준비하여 입찰참가를 표명했던 경쟁자가 바로 '싱가포르텔레콤(Singapore Telecom)'의 후견인인 머독이었기 때문이다. 이미 인도, 이란에까지 스포츠 텔레비전 중계를 실시하고 있는 머독의 기세도 결코 무시할 수 없어, 세계의 저널리즘은 머독과 리처드의 한판 대결에 각별한 관심을 기울였다.

그러나 IT산업의 거품이 붕괴되면서 이 같은 기대는 무너지고 말았다. PCCW의 주가는 절정기의 28달러 50센트(홍콩달러)에서 급기야 2001년 4월에는 3달러 50센트대로 대폭 하락하고 말았다. 그 야말로 8분의 1 이하로 시세가 급락한 것이다. 또 '홍콩판 학력사기 사건'이라고 불리는 스캔들이 갑자기 터져 나오기 시작했다. 『헤럴드트리뷴』지는 2001년 3월 23일자에서 "명문 스탠포드대학교(Stanford University)에서 컴퓨터를 전공했다는 리처드의 학력은 위조됐다. 그의 이름은 졸업생 명단에 나와 있지 않다."고 폭로했다. 사실 리처드는 1987년까지 스탠포드에 다녔지만, 졸업을 앞둔 4학년 때 부친이 대주주로 있던 캐나다의 고든캐피탈(Gordon Capital) 증권회사에 입사하는 바람에 졸업을 하지 못했다.

학력사칭을 발견한 기자는 그 PCCW의 사이트에 올라와 있는 그의 학력을 증거자료로 인쇄하여-그 기록은 다음 날 감쪽같이 소멸되었다-사진과 함께 대대적으로 보도했다. 그러나 이런 식의 사실을 왜곡한 거짓말은 그에게 늘 있어 온 상투적인 일에 불과했다. 미국에서 재학 중에는 대저택에서 호화로운 생활을 하고 지냈으면서도 "기숙사 생활을 했으며 맥도널드에서 아르바이트로 학비를 벌었다."고 했다. 적어도 다른 대재벌의 아들과는, 여느 벤처기업과는 다르다는 인상을 부각시키고 싶었던 마음에서 이런 거짓말을 했을 것이다.

그런데 이 같은 선전을 곧이곧대로 받아들인 『이코노미스트』지는 '리처드, 스탠포드에서 컴퓨터 학사 취득'이라는 기사를 보도 (2000년 2월 19일자)하기도 했다.

그러나 사실 학력 사칭 따위는 아무래도 상관없다. 문제는 세계적 규모의 IT산업의 거품이 붕괴됨으로써 상하이 주변에서 미국으로 모여든 젊은 벤처기업가들의 꿈이 졸지에 물거품으로 돌아가고 말았다는 점이다. 이러한 기현상은 '어떻게든 부친을 빨리 뛰어넘고 싶다'는 부유층 자제 특유의 초조함에서 오는 것으로, 어찌 보면 동서고금을 막론하고 공통적으로 나타나는 현상인지도 모른다. 일본의 경우 다이에(ダイエ-)나 마쓰시타전공(松下電工) 역시 마찬가지였으니 말이다.

소 에도노 살림

제국의 지는 해 - 인도네시아 화교 수난의 시대에 소 에도노 살림은 오히려 상권을 넓혀 갔다. 그는 수하르토를 정점으로 하는 인도네시아 권력체제와 유착해 일족과의 합변사업을 적극적으로 전개해 나갔다.

가족 제일, 동향출신자 우선의 혈연 · 지연주의

인도네시아 경제를 바로 얼마 전까지 좌지우지하던 인물은 화교 소 에도노 살림(林紹良, 린사오량)이었다. 그의 모험과 좌절은 리카싱 그룹의 비약적인 발전과는 대조적이다. 우선 그의 성공담을 살펴보기 이전에 화교 · 화인에게 뿌리 깊이 박혀 있는 '가족주의' 경영체질에 대해 살펴보고자 한다.

진메이링(金美齡)은 자신의 저서 「나는 호랑이 엄마」에서 다음과 같이 지적하고 있다,

"대만의 자녀들은 대부분 부모의 가업을 이어받거나 친족일가가 경영하는 기업에 의탁하는 경우가 많다. 거의가 개인이 경영하는

중소기업으로 흥망이 격심하지만 간혹 그 가운데는 웬만한 월급쟁이들은 엄두도 못 낼 만큼의 많은 돈을 버는 경우도 있다. 요령이 좋아 신규 벤처사업을 일으켜 단번에 성공하는 경우도 많다."

여기서 잠시 주목할 부분은 '친족일가가 경영하는 기업'이라는 대목이다.

화인, 화교, 중국인 사회에서는 혈연 및 지연을 제일로 삼는다. 이러한 혈연주의가 자본주의의 근대화를 저지하고 있다는 사실을 깨달은 일부의 사람들은 유럽식 경영방식을 전개해 벤처사업에서 성공을 거두기도 했지만 그들 세계의 기본은 어디까지나 지연과 혈연중심이다. 따라서 이익공동체가 지연과 혈연주의로 형성되었기 때문에 정신공동체의 형성을 기대하기 어렵다고 말할 수 있다.

자카르타의 지는 해

지금부터 인도네시아의 경제를 거머쥔 '화인'들의 이야기를 소개하고자 한다.

인도네시아에 정착해 삶의 터전을 이룬 화인은 전체 인구의 3.5퍼센트(약 700만 명)에 불과하다. 이렇게 소수인데도 수하르토의 독재체제 아래서 이들 화인들은 민간경제의 70퍼센트 이상을 장악했다. 그리고 이러한 화인 그룹의 선두주자는 바로 '살림 그룹'이다.

살림 그룹은 푸젠계(福建系)의 소 에도노 살림이 설립한 인도네시아 최대의 화인 재벌기업이다.

소 에도노 살림은 1916년 푸젠성 푸칭(福清) 근교에서 태어났다. 푸칭은 화교 세계에서는 상당히 중요한 의미를 지니고 있는 지역이다. 푸저우(福州) 시로부터 남쪽에 위치한 창러(長樂) 항구는 밀항자들의 거점으로 유명한데, 지금도 푸칭은 일본으로 향하는 밀항지로 알려져 있다. 이것만 봐도 해외로 진출하는 그들의 기질은 옛날이나 지금이나 변함이 없음을 알 수 있다. 언젠가 나도 이 지역을 방문한 적이 있는데, 금의환향한 화인들이 세운 빌딩들이 사방을 메우고 있었다.

소 에도노는 장제스(蔣介石) 군벌의 징용을 피하기 위해, 스물두 살 되던 해에 자바(Java) 섬으로 이주한 숙부 가족을 연고로 하여 인도네시아로 탈주했다. 인도네시아는 네덜란드의 지배 하에 식민지생활을 하다가 1945년 8월 독립국가가 되었다. 인도네시아의 독립에 혁혁한 공을 세운 인물은 철저한 군인정신으로 무장한 수카르노(Sukarno, 1901~1970)와 수하르토 같은 소장파 군인들이었다.

인도네시아로 이주한 소 에도노는 물자를 수송하려면 무엇보다 군의 협력이 필요하다는 결론을 내리고, 곧바로 실행에 옮기기 시작했다. 군수품을 납품하던 소 에도노는 중부 자바군 관내에 근무하고 있던 수하르토와 절친하게 지냈다. 생사를 함께 할만한 막역한 친구사이라고 일컬어졌던 다나카 가쿠에이(田中角榮) 전 일본수상과 오사노 겐지(小佐野賢治, 국제흥업 사주)처럼 두 사람은 서로 상부상조해 가며 긴밀한 관계를 쌓아 나갔다.

일반적으로 화인들은 정치적 야심이 적다고들 한다. 오래 전부터 화교들 사이에서 '물담정치'(勿談政治, 정치에 관한 얘기는 하지 말라)라는 잠언이 전해져 내려오는 것만 보아도 알 수 있다. 그러나 소 에도노는 군인, 정치가와의 협력관계를 심화시켜 나갔다. 그는 수하르토 지휘하의 인도네시아군에게 사단 단위로 군복을 납품했다. 그리고 수하르토 측에는 재정적인 지원을 하는 반대급부가 제공되었다.

소 에도노 살림과 같이 화인이 인도네시아 이름을 갖는 데에는 남다른 의미가 담겨 있다. 인도네시아 이름을 지님으로써 화인의 신분을 감추는 것이다. 사업의 확장으로 자금이 부족해지면 소 에도노는 태국의 최대 화인재벌인 천비천(陳弼臣)이 이끄는 방콕은행과 교섭을 벌였다. 태국 이름을 지닌 천비천도 태국 내에서 탄탄하게 뿌리를 내려 태국의 경제를 주도하고 있었다.

이렇듯 화인들이 이름으로 신분을 감추고 사는 데에는 다 그럴 만한 역사적 배경이 깔려 있다. 1965년 인도네시아 '9·30사건(1965년 9월 30일, 인도네시아의 수카르노 체제를 붕괴시킨 정치적 격동-역주)' 때 화교는 무시무시한 탄압을 받은 바 있다. 지역주민들로부터 마오쩌둥(毛澤東)의 공작원이라고 비난받은 화인들은 자연히 습격의 표적이 되었는데 9·30사건으로 인해 반정부 게릴라 5만 명이 살해되었고, 인도네시아는 중국정부와 4반세기에 걸쳐 국교를 단절했다. 결국 인도네시아의 국부로 추앙받던 수카르노는 유폐당하고 이때부터 수하르토가 인도네시아의 권력을 장악하게 되었다.

개인적인 얘기를 잠시 하자면, 나는 1974년에 홍콩의 한 보석상을 알게 되었는데 그는 인도네시아 젊은이를 비서로 고용하고 있었다. 그 젊은이는 베이징어(北京語), 영어와 광둥어(廣東語)를 자유자재로 구사해서 나는 홍콩 체류 중에 가끔 광둥어 통역을 부탁하곤 했는데 그때마다 그에게 이런저런 개인적인 이야기를 들을 수 있었다.

한때 베이징에 유학한 경험이 있는 그 젊은이의 말에 의하면 인도네시아 화교는 중국에서는 '귀교(歸僑)'라고 해서 박해를 당하고, 인도네시아에서는 '중공스파이'라고 해서 갖은 탄압을 받는다고 했다. 그래서 젊은이는 하는 수 없이 홍콩에 정착하게 되었다고 했다.

수카르노를 실각시키고 그의 부인 데비 여사를 일본으로 귀국시킨 '9 · 30사건'은 인도네시아 화교들에게 엄청난 변화를 가져왔다. 어차피 눈 가리고 아웅하는 식이지만, 화교가 인도네시아 내에서 별 탈 없이 지내려면 인도네시아 이름으로 바꾸어 지내는 수밖에 없게 된 것이다. 게다가 인도네시아 정부는 화자(華字)신문과 화인학교를 폐쇄했고, 중국어로 된 도서의 발행과 유통을 금지했다.

그러나 이러한 화교수난의 시대에도 소 에도노는 오히려 상권을 확대했다. '정상(政商)'으로서 일찍이 국내에 거점을 포진하고 있었기 때문이다. 소 에도노는 국내의 물류사업에 착안해 수하르토 체제에 전적으로 따름으로써 연명을 위한 새로운 방법을 모색했다. 그는 수하르토를 정점으로 하는 인도네시아 권력체제와 유착해 일족과의 합변사업[4]을 적극적으로 전개해 나갔다. 하지만 '권력과 화인의 유착'으로 비쳐진 이러한 움직임은 원주민의 반감을 증폭시키기에 충분했다. 그래서 인도네시아 화교들은 언제 또다시 폭동이 일어날지 몰라 살얼음판을 걷듯, 늘 불안한 나날을 보내야 했으며, 폭발 직전에 놓인 원주민들의 감정 분출을 위한 대안으로 '반일폭동'을 연출하곤 했다. 1974년 태국의 '일화(日貨)배척운동' 때도 학생운동의 배후에 있던 장본인은 다름 아닌 화교였다.

다시 나의 개인적인 얘기 한 가지를 소개하겠다. 당시 무역회사를 경영하던 나는 세계 각국의 바이어들과 거래를 하고 있던 터라 당연히 화교와 유태인은 늘 접하는 고객이었다. 한번은 인도네시아 내에서 꽤 부자로 알려진 한 거물급 바이어가 "우리 집에는 벤츠가 두 대 있는데, 원주민들의 습격이 두려워 항상 차고에 숨겨 두고 있답니다. 외지에 나갈 때라면 모를까, 시내에서 벤츠를 타고 다니는 경우는 거의 없지요. 지금 입고 있는 이런 고가의 셔츠 하나도 시내에서는 맘 편히 입고 다니지 못하는 형편이랍니다."라고 말하면서 쓴웃음을 지은 적이 있었다.

이런저런 우여곡절은 있었지만, 인도네시아를 중심으로 사업의 발판을 다진 소 에도노 그룹은 1990년 당시 기업의 수만 해도 무려 350개 사에 달하고, 연간 매출액이 100억 달러, 총자산이 33억 달러에 이르렀다.

1990년 인도네시아와 중국은 국교를 정상화했다. 국교가 정상화되기 몇 년 전부터 이미 그러한 움직임을 예상하고 있었던 소 에도노 그룹은 또 다른 계획에 착수했다.

---

4) 합변사업(合弁事業): 외국자본과 국내자본이 공동출자하여 기업을 설립·운영하는 사업.

우선 그들은 홍콩에 거대한 비즈니스 거점을 구축했다. 금융규제가 거의 없어 외환거래나 송금이 자유로운 홍콩은 사업상 편리한 교두보가 되었기 때문이다. 또 화교끼리 기업연합조직을 구성해 대형사업에 관한 합변사업체를 설립해 나갔다. 1997년 중국으로의 반환이 이미 예정되어 있던 터라, 오히려 화교끼리 힘을 합쳐 위험분산을 위한 자구책을 강구했다. 혼자서는 못하던 일도 여럿이 함께하면 두려울 것이 없다는 마음으로 대륙진출을 위한 돌다리를 신중하게 두드리기 시작한 격이다.

소 에도노와 뜻을 함께 한 동지들이란 홍콩, 말레이시아, 싱가포르, 태국, 대만의 화교들이었다. 소 에도노 그룹은 홍콩에 진출한 현지 자회사를 통해 고향인 푸젠성에 대규모 공업단지를 건설했다. 이 역시 금의환향을 인생의 보람으로 삼은 결과이다. 1990년대에 들어서면서 소 에도노는 삼남인 안소니 살림(林蓬生, 린펑성)에게 그룹의 경영을 맡기고 자신은 국제화, 다각화의 준비에 더더욱 매진했다. 제분, 식용유 분야에서 타분야인 화학공업으로 진출하기에 이르렀고, 나아가 자동차, 금융, 부동산사업에도 손을 뻗었다.

그런데 잠시 긴장을 늦춘 사이에 허를 찔렸다. 사상초유의 '아시아 통화위기'라는 재앙이 덮쳐, 헤지펀드로 지난 수십 년간 일궈온 사업의 아성이 하루아침에 무너지게 된 것이다. 태국에서 시작된 통화위기는 마침내 인도네시아의 통화 '루피'를 덮쳐 극도의 위기를 가져 왔으나 달리 손을 쓸 길이 없었다.

불황은 졸지에 실업을 낳았고 신변의 위험을 피부로 느낀 화교는 대부분 싱가포르나 말레이시아와 같은 국외로 탈출을 기도했다. 다행히 일부자금은 오프쇼어 센터(Offshore Center)5)에 예치시켰는데 9·30사건 때의 뼈저린 체험으로 통화위기에는 발 빠른 움직임을 보였다.

수하르토 체제는 많은 스캔들과 희생을 남긴 채 붕괴되었다. 그리고 탄탄대로를 달리던 살림 그룹이 하루아침에 무너진 것은 연고자본주의의 단면을 보여 주는 하나의 예이다. 수하르토 정권과 함께 성장한 살림 그룹이 그 정권의 몰락과 함께 운명을 같이 했으니 말이다.

수하르토 체제를 이어 1998년 대통령에 당선된 하비비(Habibie)는 "화인에 대한 사회적 차별은 더 이상 존재하지 않는다."고 호언했는데, 사실상 하비비 정권의 포용정책은 인도네시아 경제재건에 필요한 화인자본의 복귀를 바라는 계산에서 나온 속셈일 뿐이었다. 그러나 하비비 정권의 계획대로 화인자본이 돌아오지는 않았다.

하비비의 뒤를 이은 와히드(Wahid) 정권은 무능력과 부패의혹으로 21개월 만에 물러나게 되었다. 그 뒤를 수카르노의 딸 메가와티(Megawati Sukarnoputri, 수카르노푸트리는 '수카르노의 딸'이라는 뜻이다-역주)가 잇게 되었는데, 메가와티에게는 인도네시아의 경제 재건을 위한 화인과의 융화가 당면 과제로 남겨졌다.

이 외에도 인도네시아에서 성공을 거둔 화인 그룹이 있다. '아스

---

5) 오프쇼어 센터(Offshore Center): 비거주자를 위해 조세나 외환관리상의 규제를 완화하여 금융 서비스에 특전이 주어지는 시장.

트라인터내셔널(Astra International)'은 1957년 광둥 출신의 화인 윌리엄 스루야자야가 설립한 회사다. 일본과는 인연이 깊어 1971년 도요타(豊田)와 합작기업을 설립한 이후로는 파죽지세로 성장해 자동차부품, 자전거, 복사기 등의 사업을 확대하였으며 그 뒤로 통신 관련 사업에도 진출했다. 특히 도요타의 자동차 '키장(Kijang)'을 100만대 생산한 외에 다이하츠(ダイハツ), 이스즈(イスズ), 닛산(日産)에 이어 프랑스의 푸조(Peugeot), 독일의 BMW도 제조해 인도네시아 최대의 자동차업체가 되었다.

시나매스 그룹은 푸젠계(福建系) 출신의 황혁총(黃奕聰)이 이끌어 왔다. 이 그룹은 인도네시아 제지시장의 70퍼센트를 장악해 펄프왕이라는 별칭을 얻기도 했다. 소규모의 식용유 판매에서 출발해 점차 금융, 부동산, 축산, 농원경영, 제지, 펄프사업 등으로 규모를 확대해 갔으며, 급기야는 호텔사업에도 진출했다. 일본의 이토추(伊藤忠)상사와 합작으로 자카르타 교외에 공업단지를 조성하는 등 오피스텔, 쇼핑센터사업에도 진출했다.

이처럼 적기에 국제화 물결을 탄 화교와 미처 타지 못한 화인의 명암을 구분 짓는 것은 일순간의 기민한 판단과 어느 정도의 운이 작용했다고 볼 수 있다.

② 로스차일드의 전설

로스차일드

유태 재벌의 대명사 - '빨간 방패'를 가문의 문장으로 삼은 환전상 마이어 암셸 로스차일드는 독일에서 빌헬름 9세의 신망을 얻어 각별한 대접을 받았다. 현재와 같은 폭넓은 사업은 궁정 어용상인을 상대로 한 대금업에서 출발했다.

유태인 이야기의 원류

세계 어디에서든 유태 재벌이라 하면 가장 먼저 화두에 오르는 대상이 바로 로스차일드(Rothschild)가(家)이다. 유럽 금융계의 거목인 유태 재벌 마이어 암셸 로스차일드(1744~1812, Rothschild, Mayer Amschel. 로스차일드는 영어식 이름-역주)는 엄격한 유태교 집안에서 자라났으며, 이스라엘 독립 시에는 '시오니즘(Zionism, 팔레스타인에 유태국가를 건설하려는 유대민족주의운동-역주)'에도 크게 기여한 바 있다.

자녀들을 세계 각지에 분산시켜 사업 전개를 시도하는 방식은 화교의 '분산투자'방식과 흡사하다. 하지만 역사적인 사건이나 국가 간의 마찰이 빚어질 때마다 국가에 기여하는 쪽은 유태인이다. 예를 들어 A와 B가 전쟁을 시작하면 그 쌍방에 자금을 지원하여 교묘하게 저울질을 하는 등 유태인의 다각적, 복합적 사고는 타의 추종을 불허한다. 화교에게는 국가에 도전할 만큼의 위력은 없다. 물론 화교에게도 지하조직이나 마피아와 같은 조직이 있긴 하지만 이는 전혀 다른 목적의 비밀결사 조직이다.

로스차일드가 재벌이 된 과정을 살펴보기 전에 잠시 유태의 역사를 살펴보고자 한다.

미국의 유태인 이민사를 살펴보면 18세기 말 스페인, 포르투갈에서 이주해 온 '세파르디'는 불과 2,300명에 지나지 않았다.(주로 구 아랍 지중해 권을 유랑했던 유태인, 동유럽 출신의 아시케나지와는 불화가 계속 이어졌다.) 그러던 것이 19세기 들어 독일 이주민이 급증했는데, 무엇보다도 러시아 제정 하의 학살을 피해 이주해 온 유태인의 수가 실로 압도적이었다. 이에 더해 최근에는 동유럽이나 구소련에서 건너온 유태인이 늘고 있다.(지금 이스라엘에 거주하고 있는, 러시아에서 건너온 유태인들은 러시아어를 사용하고 있기 때문에 히브리어를 할 줄 모르며, 물론 영어도 통하지 않는다.)

이들 이민 유태인은 '자유의 나라' 미국에서조차 오랜 세월 동안 사회적인 차별을 받아 왔다. 대학입학이나 취업의 기회를 박탈당하는 것은 물론 기간산업으로 진출하는 길이 와스프(WASP, White Anglo-Saxon Protestant의 약자로 앵글로색슨계 백인 신교도를 뜻한다-역주)에 의해 철저히 봉쇄되었다. 미국의 유태인들은 그동안 피나는 노력을 거듭한 끝에 변호사, 의사, 약사, 기업 경영인, 부동산업 등의 각 분야에 진출하여 활로를 개척했다. 그들이 진출할 수 있는 세계는 실력으로 공정한 평가를 받을 수 있는 분야뿐이었다.

1970년대에 들어서 미국이 흑인차별정책을 완전히 폐지하고 '위대한 사회 건설'이라는 슬로건 아래 매진하기 시작하자, 유태인들은 때를 기다렸다는 듯이 의회로, 대학 교수로 진출하기 시작했다. 그 정점에 최초로 도달한 인물이 바로 키신저(Henry Alfred Kissinger, 하버드대학교 교수에서 국무장관이 됨-역주)다.

유태 배척을 위해 만들어진 월가(Wall Street)의 '벽(wall)'

동서 냉전시대를 상징했던 '베를린 장벽'이 무너지고 동독이 자유화되었을 때, 나는 두 차례 베를린을 방문해 '통화통합'의 현장을 취재한 바 있다. 당시 브란덴부르크에서는 무너진 '베를린 장벽'의 돌조각을 관광객들에게 파는 이색적인 광경이 눈길을 끌었다. 관광기념품이라는 명목으로 한낱 돌조각에 지나지 않는 것을 고급 유리상자에 담아 하나에 20달러라는 고가에 팔고 있었다. 불난 집의 어수선한 틈을 타서 물건을 훔치는 도둑과 다를 바 없지 않느냐는 지역주민들의 비난에 못 이겨 장사는 이내 수그러들었지만 말이다.

화제가 다소 빗나갔는데, 미국은 한편으로는 '자유의 여신상'을 대대적으로 선전하면서 다른 한편으로는 외부세력의 배척을 위한 '벽'을 만들었다. 그 옛날 월가(Wall Street)에 있던 '벽(wall)'은 당초 유태인을 배척하기 위해 만들어진 것이며, 케이케이케이단(KKK)은 흑인과 유태인을 박해하기 위해 결성된 비밀결사조직이었다. 물론 월가라는 이름은 아직 그대로 남아 있지만, 벽은 이미 사라진 지 오래다. 그런데도 미국에서는 유태인이 매스컴을 지배하고 있으면 여전히 눈살을 찌푸리는 사람이 많다. 때문에 경영자 일가가 유태계인『뉴욕타임즈』와『워싱턴포스트』는 논설주간이나 편집장 자리에는 유태인을 앉히지 않는데 이것은 어디까지나 잘못된 편견이다. 또한 이스라엘의 텔아비부(Tel Aviv) 지역의 특파원조차도 유태인 기자는 파견하지 않는 등의 세심한 배려를 하고 있는데도 이 같은 사실은 그다지 알려져 있지 않았다.

디아스포라(Diaspora)

유태인의 역사와 사고방식, 그 종교적 배경을 알아보기 위해 유태 4천 년의 유랑여행을 간단하게 정리하고자 한다.

디아스포라(Diaspora)란 그리스어로, '이산(離散) 유태인'을 의미한다. 유태의 역사는 길고도 깊다. 수메르(Sumer, 바빌로니아 남부에 위치하며 세계 최고(最古)의 문명이 발상한 지역·민족, 또는 그 문명의 명칭=역주)에서 일어난 인류 최고(最古)의 문명을 모체로 메소포타미아 문명이 형성되었는데, 메소포타미아 유역에 생긴 바빌로니아 제국은 네부카드네자르(Nebuchadnezzar) 시대에 엄청난 유태인을 바빌론으로 연행해 노예로 부렸다.

일신교인 유태교는 신과의 서약을 중시하는데 이 같은 서약을 최초로 맹세한 자가 아브라함(Abraham)이라고 한다. 유태인의 시조라 일컬어지는 아브라함은 기원전 2,000년부터 1800년경의 유랑시대의 족장(族長)으로, 그 이름에는 '위대한 아버지'라는 의미가 담겨 있다. 일족을 이끌고 이집트로 건너간 그는 유목과 농업에 전념했는데 모세와 함께 이스라엘의 민족적 영웅이자 지도자로 평가된다.

유태의 5서라 일컬어지는 「창세기」 「출애굽기」 「신명기」 「레위기」 「민수기」(모두 구약성서의 근간을 이룬다)는 기원전 7세기가 되어서야 겨우 성문화되었는데, 구어 전승의 기원이 몇 세기경인지는 아직 밝혀지지 않고 있다. 법률해석을 집대성한 「탈무드」는 기원전 6세기에 바빌로니아에서 완성했다고 한다. 무려 250만 개의 어휘로 적혀 있는 이 책은 전체 20권으로 구성되어 있으며, 대부분이 예루살렘의 '통곡의 벽' 안에 있는 도서관에 구비되어 있다.

유태교는 포교를 하지 않는다. 음식 중에서도 게, 새우, 돼지고기 등은 절대 먹지 않으며, 토요일을 안식일로 삼고 있다. 그런데 이슬람교의 안식일이 금요일이고 기독교의 안식일이 일요일이니 만약 목요일 저녁에 예루살렘에 도착하게 되면 어떻게 될까? 당일 오후부터 이슬람가의 상점이 휴일에 들어가고, 다음날 오후부터는 유태인가의 상점이 모두 쉬게 된다. 대신에 일요일에는 관청이나 상가 모두 마치 평일처럼 생업에 분주하다. 극히 소수이기는 하지만 기독교도가 쉬는 안식일에 평일과 다름없이 열심히 일하는 유태교도들의 모습은 새삼 눈길을 끈다. 어쨌든 이들의 습관은 지금도 여전히 지켜지고 있다.

유태교 이전, 당시의 중근동6) 각지에는 샤머니즘, 애니미즘, 조로아스터교 등 많은 종교가 뿌리를 내리고 있었다. 그곳에서는 신전매춘(神殿賣春), 인신상납(人身上納) 등의 비밀스런 의식이 행해지기도 했다. 이슬람 신전에서 행해지는 이란 지역의 의식은 아제르바이잔(Azerbaijan, 카스피해 서부 연안에 위치한 나라-역주)에 잔재된 조로아스터교로부터 많은 영향을 받았음을 엿볼 수 있다.

로마에게 멸망당할 때까지

예루살렘에 유태왕국이 있던 신화의 시대에서 마침내 왕국의 통일이 이루어져(기원전 11세기) 사울, 다윗, 솔로몬이 탄생했다. 이 시대만 해도 유태왕국은 버젓한 유태인의 제국이었다. 그러던 것이 기원전 922년경에 이스라엘왕국(기원전 922~721년)과 유태왕국(기원전 922~587년)에 의해 남북으로 분열되었다.

마침내 아시리아(Assyria)를 평정한 바빌로니아의 네부카드네자르 왕이 두 번에 걸쳐 유태왕국을 침략해 예루살렘을 함락시켰다. 이 사건이 바로 '바빌로니아의 포로'다. 참고로, 이라크의 사담 후세인은 걸프전쟁 때 자신이 바로 '네부카드네자르의 환생'이라며 신전에 참배하는 등의 제스처를 보여 세계를 당혹하게 했다.

그 후 유태왕국은 페르시아, 마케도니아, 이집트, 시리아로 분열

---

6) 중근동(中近東): 유럽을 중심으로 본 아시아 남서부 대부분의 지역. 동은 아프가니스탄에서부터 서는 모로코까지, 북은 터키에서부터 남은 아라비아반도 수단까지 포함하는 지역.

해 지배자가 바뀌었고, 기원전 142년에는 다시 독립했다. 그러나 독립시대의 영화도 그나마 잠시, 기원전 63년부터는 직할지로 나뉘어 로마의 지배 아래 총독이 배치되는 수모를 겪었다. 식민통치에 결사적으로 반대하는 유태인이 각지에서 저항운동을 일으키자 로마는 다시 대군을 보내 예루살렘 포위작전에 돌입했다. 신전이란 신전은 모두 파괴되었고, 사망자는 자그마치 110만 명에 달했다. 그나마 살아남은 10만 명은 모두 노예로 팔려 나갔다.

이때 유태인들은 어떻게든 살아남기 위해 사방으로 도망쳤는데 지중해를 따라 발칸반도에서 이탈리아, 스페인, 모로코 등지로 도망친 그룹을 '세파르디(Sephardi)'라 하고, 알프스를 넘어 프랑스나 독일 또는 동유럽에서 러시아로 건너간 유태인 그룹을 '아시케나지(Ashkenazy)'라 한다. 하지만 어디를 가든 유태인을 기다리고 있는 것은 박해와 차별, 탄압 그리고 종교재판으로 인한 사형, 숙청 내지는 학살뿐이었다. 직업도 기독교에서 지정받은 일만 할 수 있었으며, 생활권도 게토(Ghetto, 유럽 도시에서 유태인을 강제적으로 수용한 거주구-역주) 안으로 한정되어 있었다.

유태인의 거주조차 허용치 않았던 13세기의 영국은 전 재산을 몰수한 채 그들을 국외로 추방시켰다. 비교적 유태인에게 관용적이었던 스페인조차 이슬람의 위협이 물러서자 유태인의 강제 개종을 종용해 이에 따르지 않는 유태인에게는 국외추방명령을 내렸다. 15세기에는 이웃나라 포르투갈에서도 유태인을 추방하기 시작했다. 대항해시대의 주도권을 잡은 스페인과 포르투갈이 몰락한 원인 중한 가지는 우수한 유태인이 없었기 때문이라는 설이 나돌 만큼 유태인 배척의 움직임은 철저했다.

쫓기고 또 쫓기는 피난생활이 계속되었지만, 온갖 수난을 다 겪은 유태인이었기에 그들은 오히려 가는 곳마다 이름을 떨치고 부를 축적하는 결실을 거두었다. 마치 세계사는 이러한 유태인과 이들을 적으로 삼아 저항하는 그리스교도가 장식해 온 느낌이 들 정도다.

서론이 너무 길어졌다. 아무튼 당시 독일로 흩어진 유태인의 후예가 바로 로스차일드의 선조다.

로스차일드 전설

'빨간 방패'를 가문의 문장으로 삼은 환전상 마이어 암셸 로스차일드는 독일에서 빌헬름(Wilhelm) 9세의 신망을 얻어 각별한 대접을 받았다. 현재와 같은 폭넓은 사업은 궁정 어용상인을 상대로 한 대금업에서 출발했다.

마이어 암셸은 빌헬름 왕을 위해 징수업무를 맡고 전쟁자금을 조달하였으며 나아가 군수용품 납품을 대행했다. 기존의 대금업자들은 미처 시대의 흐름을 타지 못했다. 다시 말해 영국에서 시작된 산업혁명과 프랑스혁명 사이에서 새로운 시대의 본질을 미처 파악하지 못한 채 대부분의 재벌이 급속하게 몰락해 갔다. 그러나 마이어 암셸은 시대의 변화를 재빨리 파악했다.

1806년 나폴레옹 침략전쟁 시기에 독일왕국이 무너지자 마이어 암셸은 당시 제후의 막대한 재산을 런던으로 은밀히 이전시켰다.

마이어 암셸은 헤센 제후의 비밀자금을 성공적으로 관리한 대가로 포상금을 받았는데, 결국 이 돈이 훗날 로스차일드 금융왕국의 부를 쌓는 종자돈 역할을 했다. 이미 셋째 아들 네이선(1777~1836)이 런던에 '로스차일드 은행'을 개설하고 있었으며, 뿐만 아니라 나폴레옹전쟁의 전쟁자금 조달을 위한 준비까지 하고 있었다. 파리로 이주한 다섯째 아들 제임스(1792~1868)는 런던에 있던 네이선과 협력해 파리에서 왕정복고운동을 지원하는 등 주로 재정 면에서 왕정을 지지했다. 독일 프랑크푸르트에 남은 장남 암셸은 빈으로 이주한 차남 자로몬과 나폴리로 이주한 넷째 아들 칼(1700~1855)과 긴밀히 협력해 나갔다. 이렇게 해서 마이어 암셸의 다섯 아들들은 각기 이주한 나라의 체제에 뿌리 깊게 밀착하여 상권을 확대함과 동시에 국경을 초월한 독자적인 정보망을 구축했다.

무엇보다도 로스차일드가를 전설로까지 승화시켜 국제금융자본가로서 유명하게 한 것은 바로 워털루전쟁이다.

나폴레옹이 영국을 물리칠 경우, 로스차일드가 떠맡은 영국 공채는 하룻밤 사이에 폭락하고 말지만 반대로 나폴레옹이 지게 되면 영국의 공채는 폭등할 것이 분명했다. 생사를 가늠하는 승패의 정확한 정보를 어떻게 보다 빨리 입수하는가? 이것이 바로 로스차일드 '정보학'의 진수였던 것이다.

나폴레옹에게 이기다

때는 1814년 6월 19일 저녁 무렵, 로스차일드가 고용한 두 정보원은 전쟁의 승전보를 갖고 벨기에의 오스텐드 항에서 전세 쾌속선을 탔다. 그들의 손에는 이제 막 인쇄된 신문이 들려 있었다. 그리고 그 신문은 다음 날 20일 아침, 이들보다 먼저 도바해협을 건너 항구에서 기다리고 있던 로스차일드에게 건네졌다. 그들은 조금이라도 빨리 정보를 전하기 위해 최단거리 항로도 사전에 조사해 두었다. 정보를 받아 든 로스차일드는 그 즉시 런던으로 돌아가 증권거래소를 찾아가서는 잔뜩 풀죽은 표정으로 영국공채를 팔아 넘겼다. 그의 박진감 넘치는 연기는 로스차일드를 하루아침에 세계의 금융가로 탈바꿈시켰다.

"로스차일드가 주식을 내다 파는 것으로 보아 영국은 전쟁에서 진 게 분명하다."는 말이 떠돌자 투자가들은 서둘러 팔자 주문으로 돌아섰다. 그러자 공채의 시세가 폭락을 향해 곤두박질치더니 순식간에 하한가를 기록했다. 그러자 로스차일드는 돌연 일변하여 폭락한 공채를 죄다 사들이기 시작했다. 그리고 다음 날인 21일, 영국정부에 공식적인 승전보가 날아들었다. 그 결과, 런던 증권거래소에서 로스차일드는 당시 시세로 100만 파운드의 이익을 남겼다고 한다.

또한 로스차일드는 빈(Wein)회의를 주재했던 오스트리아의 재상 메테르니히,Klemens Wenzel Nepomuk Lothar von Metternich, 1773~1859)의 '힘의 균형에 의한 유럽의 평화'를 금융 면에서 지지한 장본인이기도 하다. 하지만 때로 로스차일드가(家)는 반대세력의 방해나 정적의 정권장악에 의한 복수에 부딪혀 뼈아픈 경험을 겪어야 했다.

특히 1848년의 프랑스혁명 직후, 나폴레옹 3세는 로스차일드에 대해 극단적인 방해공작에 나섰다.

또 1860년에는 나폴리의 로스차일드가가 막다른 곤경에 처하자 프랑크푸르트, 빈에서도 가세는 기울기 시작했다. 그러나 파리의 로스차일드가에 드리워졌던 어두운 먹구름이 가시게 되었는데 그 것은 라이벌 은행의 도산 덕분이었다. 이를 발판으로 로스차일드가는 프랑스의 사교계에서 다시 입지를 굳히게 되었다. 런던에서는 크림전쟁의 전비 마련을 위한 영국왕실의 전시국채(戰時國債)를 떠맡았고, 1875년 수에즈운하 매수에도 융자하여 금융계에 강력한 존재로 군림하기도 했다.

로스차일드가의 자금력은 실로 풍부하여 유럽각지의 철도건설이나 해운업에 참가하는 등 대여방식도 대담했다. 그리고 영국이 7개의 바다를 지배해 가는 과정에서 로스차일드가는 런던과 파리의 계열은행에서 각기 남아프리카의 광산업과 러시아 아제르바이잔의 바쿠유전(Baku oil field)에 투자하기도 했다.

분산투자 방법의 전형적인 상징은 러일전쟁에서 극명하게 나타난다. 일본은 런던의 로스차일드가에게, 러시아는 파리의 로스차일드가에게 재정지원을 요청했다. 그러나 이 팔방미인형 상술은 제1차 대전에서 예상 밖의 결과로 나타났다. 각기 다른 정부에 충성을 맹세해 온 로스차일드가의 분산투자경영철학이 일족의 단결과 끈끈한 유대관계에 균열을 드리우게 한 것이다. 이는 피할 수 없는 숙명이었다. 결국 1902년, 본가였던 독일 프랑크푸르트의 로스차일드가의 활동이 수그러들고 대신 런던과 파리의 분가가 구심점을 이루게 되었다.

로스차일드가의 화려한 봄날은 얼마 가지 못했다

로마제국은 천 년이나 계속되었다. 중국왕조의 당대(唐代)와 청대(淸代) 역시 오랜 역사를 기록하고 있다. 그러나 시대가 바뀌고 상황이 격변하여 대대손손 대를 잇는다는 것은 이만저만 어려운 일이 아니다. 세력이 성한 자도 반드시 쇠할 때가 있다는 '성자필쇠(盛者必衰)'의 이치를 여실히 깨닫게 된다. 그렇다면 로스차일드가를 덮치는 잇단 비극의 고리는 이러한 역사의 순리와 부합된다고 볼 수 있을까? 그나마 현재까지 로스차일드 본가의 혈통은 선조의 이름을 이어받고 있으니 아직은 가문의 대가 끊기지 않은 셈이다.

2001년 말, 세계적 상업은행인 로스차일드앤드선스(Rothschild and Sons)는 법정상속인인 암셸 로스차일드가 출장지인 파리의 한 호텔에서 자살했다고 발표했다. 암셸은 로스차일드가의 자산관리회사의 회장으로, 사촌인 에베린 로스차일드가 이끄는 상업은행(Merchant Bank, 환어음 인수, 사채발행을 주업무로 하는 금융기관-역주)의 후계자로 지목되어 왔다. 그러나 암셸이 체질적으로 은행업무와 맞지 않는다는 사실은 런던 금융가에서는 이미 소문난 사실로, 그는 오히려 '농장에서 땀 흘려 일함으로써 수박한 기쁨을 발견하는 타입'이었다.

「로스차일드의 부와 권력」의 저자 데릭 윌슨은 암셸의 자살에 대해 다음과 같은 견해를 밝히고 있다.

"대부호로 태어난 중압감과 끊임없이 집중되는 세계의 이목을 수월하게 극복하는 사람도 있는 반면, 조용히 지내기를 원하는 사람에게는 그러한 분위기가 허용되지 않는다. 이러한 요인들이 그를 자살로 몰아세웠다고 생각한다."

세계경제의 구조 문제는 미국의 부채에 달려 있다

잠시 현대 세계경제로 화두를 바꾸고자 한다.

그렇다면 지금 미국의 공채를 다량매입하고 있는 장본인은 과연 누구일까? 그것은 바로 일본이다. 그렇다면 일본이 '금세기의 로스차일드'란 말인가?

미국이 400억 달러나 되는 전쟁자금을 의회에서 가결한 것은 '9·11테러사건'으로부터 불과 이틀 지난 2001년 9월 13일이다. 2001년 11월 12일자 『뉴욕타임즈』의 보도대로 전쟁비용이 하루에 10억 달러나 든다고 한다면 아프가니스탄 공중폭격 개시로부터 날짜를 따져 보아도 이미 수백 억 달러를 전비(戰費)에 썼다는 계산이 나온다. 더욱이 하원의회는 군사비를 추가하는 등 새로 마련된 테러 대책비로 3,180억 달러의 지출을 결정했다. 이 같은 결정으로 인해 2001년까지 미국의 재정흑자분은 완전히 물거품이 되고 만다. 더 큰 문제는 레이건(Reagan, Ronald Wilson, 미국의 제40대 대통령-역주) 시대의 대대적인 적자재정을 향해 다시 곤두박질치고 있다는 점이다. 하지만 테러사건 이후의 미국은 그렇게 앞뒤 따져 논할 상황이

못 된다. 미국 의회는 한술 더 떠서 항공업계 구제를 위해 150억 달러의 지출을 결정하였고, 더 나아가 1,000억 달러의 '경제대책법'이라는 법적 조치도 잇달아 내놓았다. 꼬리에 꼬리를 무는 지출, 게다가 그 다음으로 부시(Bush, George Herbert Walker)정권이 내놓은 것은 대폭적인 감세 조치였다.

경제전문가가 아니더라도 이 같은 결정에 따른 모순은 한눈에 알 수 있다. 미국의 조치는 한편으로는 전쟁, 다른 한편으로는 소비 확대에 의한 경기회복을 동시에 꾀하려는 속셈이다. 전시국채 발행에 관한 법안은 2001년 9월 19일 하원이 가결, 10월 23일 상원의 전원일치로 정식 통과되었다. 다시 말해, 미국 재무성은 '언제든지', '얼마든지' 전비를 조달할 수 있는 법적 근거를 마련하게 된 셈이다.

하지만 아직까지 현대의 로스차일드는 출현하지 않았다.

거품경제시대에 세계 10위의 은행 가운데 무려 7개를 독점한 일본은행은 지금은 그 자취를 찾아볼 수 없을 만큼 영락하여 외국의 펀드회사에 흡수되는 은행마저 나오고 있다.

러일전쟁으로 인해 발행된 전시국채

러일전쟁 당시 일본은 막대한 전비를 외채에 의존하는 수밖에 없었다. 따라서 일본우 전비 조달을 위한 수단으로 '전시국채'를 발행했다. 그런데 국채의 구입과 저축을 장려하는 이상사태는 중일전쟁 이후부터는 아예 일본의 고질적인 재정수단이 되어 버렸다. 태평양전쟁 중에는 애국정신을 고양하여 국채구입을 부추기는 한편 우편저금, 은행저금, 생명보험 등 각종 저축을 장려했다. 전비 마련을 위해 국민만 희생된 격이다.

1945년 일본이 태평양전쟁에서 패망했을 당시, 일본은행의 부실채권비율은 100퍼센트였다. 거의가 '전시국채'였으므로 패전으로 인해 국채는 휴지조각이나 다름없게 되었다. 이와 더불어 예금 지불정지 조치와 디노미네이션[7]이 동시에 실시되는 '화폐개혁'으로 인해 이래저래 피해를 보게 된 국민들은 더 이상 흘릴 눈물조차 없었다.

전시국채는 발행이자율이 시장의 실세이자율보다 낮기 때문에 전비조달비용이 경감된다. 투자 대상으로써의 매력은 없지만 국가 비상사태에 협력하는 투자가들의 애국심을 부추겨 재정에 도움을 받고자 하는 의도로 발행되는 것이다. 단, 전쟁 중이 아닌 한 전시국채의 발행은 무리이다.

바야흐로 지금 뉴욕은 국제적인 투자가들의 집결지가 되었다. 다시 말해 미국시장은 미국의 국내적인 요소나 국내투자가들의 논리만으로는 움직이지 않는다는 것이다. IT산업이 축소하고, K마트(K-mart)나 엔런(Enron)과 같은 거대기업도 맥없이 쓰러졌으며, 실업률은 증가했다. 소비가 위축되고 투자가들은 위험한 투자를 하기보다는 수중에 자금을 움켜쥐려는 경향을 보였다. 여느 때라면 세

---

7) 디노미네이션(Denomination): 한 국가경제 내에서 통용되는 모든 은행권 및 주화의 액면을 동일한 비율의 낮은 숫자로 변경하거나 새로운 통화 단위로 바꾸는 조치.

계의 투자가들이 '최후의 수단'으로써 일반주식에서 미국 국채시장으로 되돌아오는 조짐을 보일 텐데 그러한 움직임도 보이지 않았다.

미국에도 국가 위기 상황이 있다

9·11테러사건을 접한 세계의 투자가들은 미국에도 국가 위기상황이 있다는 사실을 깨닫고 선뜻 투자에 나서지 못하고 있다. 2001년 상반기까지의 미국경제는 그나마 IT붐으로 '단독승리'의 양상을 보였었다. 때문에 부시는 '단년도 흑자'를 '누적적자 해소'를 위해 쓴다는 내용의 '국채잔고경감노선'을 부정하지 않았다. 그런데도 미국정부는 '감세'와 '전시국채발행'이라는 모순된 정책을 발표했기 때문에 세계의 투자가들은 그저 조심스럽게 관망의 자세를 보여왔다. 여기에 더하여 투자가들이 발견한 미국시장의 엄청난 모순은 그들의 투자심리를 더욱 움츠러들게 만들기에 충분했다.

미국의 대외채무는 일본엔화로 환산하여 130조 엔이나 된다. 이 정도의 채무국으로까지 전락한 것은 레이건 정권 당시, 구소련과의 냉전 지속으로 인한 국방비의 과다지출이 주된 요인이다. 한편 민심을 겨냥한 복지, 의료 분야의 선심성 정책만큼은 계속 유지해 왔다. 특히 클린턴 정권에서는 이 분야 지출이 대폭 확대되어 모처럼의 경상수지 흑자분마저 잠식해 버렸다. 시장은 이러한 미국정부의 추이에 민감한 반응을 보였다. 1985년의 '플라자합의(The Plaza

Agreement)'에서 미국은 달러의 가치를 인위적으로 끌어내려 부채를 실질적으로 격감시키는 방안을 모색했다.

그 후 미국은 불황으로 접어들었다. 계속 늘어난 부실채권은 눈덩이처럼 불어나 급기야 S&L위기[8]를 초래하기에 이르렀다. 결국 1989년부터 채무국으로 전락한 미국의 경상수지는 악화 일로를 치달았으며 이자는 고스란히 외국으로 빠져나갔다. 클린턴(Bill Clinton)정권은 컴퓨터 산업의 호황으로 인해 잠시 한숨을 돌릴 수 있었으나 이는 IT산업의 표면적인 거품에 불과했다. 월가에서 정계로 진입한 루빈 전 재무장관은 미국 경제의 발본적인 대책을 강구하기 위해 '강한 달러는 미국의 국익'이라는 정책으로 전환했다. 일본은 이미 공장을 해외로 진출시킨 후였으므로, 이 같은 정책은 수출증대에 도움이 되기는커녕 오히려 '엔고불황'으로 이어졌고, 마침내 거품경제의 완전한 붕괴를 초래하고 말았다.

2001년 12월 현재 5.6퍼센트의 실업률을 보이며 '공황전야'의 미궁에 빠져 있는 일본은 그동안 미국의 방만한 재정정책을 지원해왔지만, 지금은 한계점에 도달해 있는 것이 분명하다. 그렇다면 도대체 미국의 전시국채는 누가 산단 말인가? 다시 말해 '현대판 로스차일드가'는 세계 어디에도 존재하지 않는다는 결론이 성립된다.

---

8) S&L위기: 한국의 상호신용금고와 유사한 미국의 금융기관인 저축대부조합(Savings & Loan Association)이 구조적인 문제로 인해 연쇄 파산의 위기에 놓였던 금융대란.

골드스미스

수수께끼투성이의 미국 기업가 - 골드스미스는 감히 그 누구도 생각하지 못한 기발한 방식을 구사했다. 복잡한 M&A(기업합병 · 매수) 수법을 남보다 한 발 앞서 실천한 덕분에 수억 달러의 이윤을 공짜나 다름없이 챙길 수 있었다.

골드스미스 신화

세계 제일의 투자가로 알려진 조지 소로스(George Soros)와 친밀히 지냈던 골드스미스(Goldsmith)는 한때 그와 손잡고 다방면에 투자를 하기도 했다. 유럽에서는 골드슈미트로 불리는데, 투자가들 사이에서는 신적인 존재로 여겨졌다. 골드스미스 경은 영국 귀족이면서 유럽의회의 의원을 겸하기도 했다.

1987년 10월 19일, 골드스미스는 소위 블랙먼데이(Black Monday)라 불리는 월가의 주식 대폭락을 사전에 예상하여 보유하고 있던 대부분의 주식을 내다 팔고는 국채로 전환했다. 그리고 주식 폭락 당일은 아름다운 미녀와 함께 지중해에서 요트를 타며 한가로이

보냈다.

골드스미스의 투자방법은 일반 투자가들과는 상당히 대조적으로 그 수법에 교묘함이 배어 있다. 그는 미국에서 활약했을 당시, 삼림자원과 금광맥 등 장부상에 나타나지 않는 추정자산을 보유하고 있는 기업을 골라 예의 주시하여 분석한 뒤, 마침내 투자의 대상으로 삼았다. 이렇게 신중한 사전작업을 통해 매수한 기업을 다시 분할 매각하여 거액의 이윤을 남기는 수법으로 그는 M&A(기업매수·합병)의 선두를 이끌어 갔다. 1980년대 후반에는 모든 기업과 투자가들이 골드스미스의 일거수일투족에 촉각을 곤두세우며 예민한 반응을 보였다. 골드스미스는 뛰어난 선견지명의 소유자로 정평이 나 있었기 때문이다.

그의 사고방식은 유럽적인 사고방식이 근간을 이루는데 삼단논법, 변증법과 같은 체계적인 논법의 기원은 그리스에서 유래한다. 그렇다면 유태인들은 자신의 논리를 개진함에 있어 여전히 이 같은 논법을 적용하고 있을까? 그렇지만은 않다. 최근 이스라엘의 외교적 수법이나 국제무대에서 활약하고 있는 유태인들의 논리를 보면 유태인들의 사고방식이 다른 인종과 별반 차이가 없음을 알 수 있다. 이는 곧 유태인들의 사고방식에 서구세계의 논리가 완전히 배어 있음을 말해 주고 있다. 게다가 최근의 유태인에게서는 확고한 기본을 토대로 한 삼단논법을 거의 찾아볼 수 없다. 굳이 그들의 사고방식을 표현하라면 직감적이라고나 할까?

「유태사상」이라는 책에는 다음과 같은 대목이 실려 있다.

"랍비(rabbi, 유태교 율법교사의 경칭-역주)들은 연역적이지도 분석적이지도 않다. 오히려 직감적이다. 그들의 사고는 결코 변론적이지 않다.(중략) 이 같은 소질은 기본적으로 오리엔트의 사상가 모두에게도 공통된 부분이다."

이후 골드스미스는 활동 거점을 미국에서 런던으로 옮겨 새로운 투자회사를 설립했다. 골드스미스의 아성은 세계 각지의 조세 회피국(租稅避難處, Tax Heaven, 법인의 실제 발생 소득의 전부 또는 상당 부분에 대해 조세를 부과하지 않는 국가나 지역-역주)에 본거를 둔 제너럴옥시덴털(General Occidental)이다. 바로 이 제너럴옥시덴털사가 다국적기업의 주식 매점(買占)을 지시하는 사령탑 역할을 맡았다. 엘리자베스 여왕은 골드스미스의 눈부신 활약상에 대해 '영국에 국익을 가져다 준 인물'이라고 격찬하며 귀족의 서품을 내렸고, 그는 훗날 유럽의회의 정식 멤버로까지 승격되는 영광을 누렸다.

그 정도의 인물이 1993년 4월 미국 최대의 금광회사인 뉴먼트마이닝(Newmont Mining)의 주식을 4억 달러에 매각, 그중 3억 달러를 조지 소로스가 주최하는 금지금(金地金) 옵션에 대체한 적이 있다. 골드스미스가 세상을 뜬 지금도 런던의 증권가나 월가에서는 그를 입지전적인 인물로 평가하기보다는 신화적인 존재로 평가하고 있다.

유태계인 골드스미스의 원적에는 출생지가 영국으로 되어 있지만, 사실 그는 1933년 파리에서 출생하여 영국의 이튼대학교(Eton University)를 중퇴했다. 군복무를 마친 골드스미스는 스무 살 되던 해에 대부호인 볼리비아 주석 왕의 딸과 사랑의 도피행각을 벌이기도 했다. 그리고 그녀와 사별한 후, 프랑스 여인과 재혼하여 파리에서 사업을 시작했다. 독일과 프랑스 내에서 류머티즘 크림을 판매하는 회사를 설립했고, 사업은 그의 예상대로 크게 성공했다. 사업이 크게 번성하여 덩치가 불어나자 기업을 매각하게 되었는데 매각이익만 해도 30만 달러나 되었다고 한다. 이십대에 겪은 그 귀중한 경험은 훗날 그의 인생에 커다란 영향을 주었다.

1964년 골드스미스는 마치 무언가에 홀리기라도 한 것처럼 'M&A' 사업에 정신없이 매달렸다. 사탕업체, 잡화점 체인 등 이익이 날 듯 싶은 기업들을 닥치는 대로 매수하여 합병한 후, 엄청난 거액을 확보하더니 1977년부터는 다이아몬드인터내셔널(Diamond International)에 눈독을 들이기 시작했다.

이것이 바로 월가를 뒤흔든 '회사해체에 의한 차입매수', 즉 LBO의 원조가 된다. LBO란 Leveraged Buy Out의 약어로, 기업매수자금의 대부분을 매수대상기업의 자산을 담보로 한 차입금으로 충당하여 매수하는 방식을 말한다. 다른 사람의 돈을 빌려 기업을 매수하는 이 방식은 적은 자본으로도 기업매수가 가능하지만 거액의 차입을 수반하기 때문에 기업매수 후에는 자기자본비율이 크게 저하되어 신용위험이 높아진다.

'합법이라면 무엇이든 해보자'는 식의 모험주의는 골드스미스가 풍부한 법률지식을 배경으로 한 유태인이었기에 가능한 일인지도 모른다.

골드스미스는 그때까지 감히 그 누구도 생각하지 못한 기발한 방식을 구사했다. 그리고 복잡한 M&A 수법을 남보다 한발 앞서 실천한 덕분에 수억 달러의 이윤을 공짜나 다름없이 챙길 수 있었다.

새로운 게임의 룰은 자신이 만들어 가는 것이다

1977년부터 조심스럽게 사들이기 시작한 다이아몬드인터내셔널사의 주식이 1980년에는 5퍼센트 대를 넘어섰다. 다이아몬드인터내셔널사는 성냥, 펄프, 플라스틱 등을 생산하는 제조업체로서 어느 정도 실적을 올리고 있었지만, 특별히 눈에 띌 만한 회사는 아니었다.

골드스미스는 다이아몬드사의 재무구조를 철저히 조사했다. 그는 이러한 정보수집만큼은 투자를 아끼지 않았다. 조사 결과, 거의 7억 달러에 달하는 이 회사 소유의 삼림자원이 장부가격으로는 2,400만 달러밖에 나가지 않는다는 사실을 발견하게 되었다.

1981년 골드스미스는 다이아몬드사의 주식을 한 주당 44달러 50센트의 가격으로 공개매수(TOB, Take Over Bid)하기에 이르렀다. 총 매수가격은 6억 6,000만 달러였는데 마이클 밀켄(Michael R. Milken)이 몸담고 있던 대형증권회사 드렉셀(Drexel Burnham Lambert)사가 내놓은 정크본드(Junk Bond)[9]로 전 자금을 조달할 수 있었다. 결국 자기 자금은 거의 쓰지 않은 채, 대형증권사를 무너뜨린 격이 된

---

9) 정크본드(Junk Bond): '고수익 고위험'이라는 말로 요약할 수 있는 이 채권은 신용등급이 낮아 투자부적격등급인 채권.

셈이다. 그러나 금융계에 신선한 충격을 준 드렉셀사는 교만과 과도한 법적해석으로 인해 결국 파산하게 된다.

골드스미스는 다이아몬드인터내셔널사에 대한 주식의 공개매수를 성공시키더니 이번에는 곧바로 해체작업에 착수했다. 성냥, 플라스틱, 펄프 부문을 하나하나 해체한 후 매각하여 들어온 현금으로 정크본드의 대금을 모두 갚았다. 게다가 7억 달러의 삼림자원은 골드스미스의 수중에 고스란히 남아 있었다. 이것은 '콜럼버스의 달걀'[10]에 필적할 만한 쾌거라 할 수 있다.

1984년, 공개매수에서 큰 재미를 본 골드스미스는 이번에는 센트레지스 제지를 노렸다. 골드스미스가 센트레지스사의 주식을 8퍼센트 가량 손에 넣었을 때, 공개매수를 두려워 한 센트레지스사는 골드스미스 측에서 보내온 그린메일[11]의 협상에 응해 왔다. 그린메일은 블랙메일[12]과 대비되는 용어로 '합법적인 주식 되사기'를 의미한다. 골드스미스가 이런 식으로 해서 센트레지스사로부터 벌어들인 이익은 무려 5,000만 달러나 된다. 일이 이쯤 되고 보니 이러한 방식은 이제 더 이상 멈출 수가 없었다. 골드스미스는 콘티넨털(Continental) 그룹의 주식을 사서 마찬가지의 수법으로 3,500만 달러

---

10) 콜럼버스의 달걀: 콜럼버스가 새로운 땅을 발견하여 지구가 둥글다는 것을 증명하는 과정에서 나온 말로 '알고 나면 쉽지만 누가 먼저 하느냐가 중요하다'는 예에 비유. 둥근 달걀을 아무도 책상 위에 세우지 못했지만, 콜럼버스는 달걀 한쪽을 깨뜨려 책상 위에 세웠다.
11) 그린메일(Green Mail): 경영권이 취약한 대주주에게 보유주식을 높은 가격에 팔아 프리미엄을 챙기고 보유 주식을 팔기 위한 목적으로 보내는 메일.
12) 블랙메일(Black Mail): 대주주에게 협박을 하면서 주식을 매입하라고 강요하려는 내용의 메일.

를 벌어들였다.

　1985년, 골드스미스는 크라운체라백사의 주식 8.6퍼센트를 소유한 주주가 되었다. 여기에서도 한 주당 42.5달러의 공개매수를 선언하여 크라운사의 주식을 19퍼센트까지 사들여 갔다. 크라운사도 나름대로 이런저런 방어책을 써 보았지만 골드스미스의 교묘한 법정전술에 맞서지 못한 채, 끝내 손을 들고 말았다. 1985년 7월, 골드스미스는 크라운사의 회장이 되었다. 그가 신임 회장으로서 맨 처음 착수한 일은 예의 그 해체작업이었다. 투자가들은 그의 교묘한 경영방식에 그저 넋을 잃고 바라볼 뿐이었다. 그는 재빨리 크라운사와 제임스리버사를 합병시켜 16억 달러 상당의 삼림자원을 손에 넣었다.

　이렇게 해서 골드스미스는 영국으로 돌아가 귀족의 작위를 수여받는 등 만년을 성공적으로 장식했다. 하지만 그의 딸이 이슬람교도와 결혼하여 집을 떠나는 등 가정적으로는 그다지 행복하지 못했으며, 프랑스에서 매수한 출판사는 적자가 계속되어 결국 그는 고독하게 죽음을 맞이했다.

3

구전푸의 화려한 일족

구전푸

대만 경제를 점령한 화려한 일족 - 원래 구샌룽(辜顯榮)은 유민으로 타이베이(臺北)의 식육시장에서 빈둥거리며 소일하다가 어느 날 야쿠자 두목으로 부상하게 되었다. 이 점은 시정잡배로 지내다 천하를 거머쥔 유방과 흡사하다.

대만 재계의 총리

대만을 비롯한 중국어권에서는 대만 재계의 총리라 불리는 구전푸의 전기가 몇 권이나 발행되었다. '대만시멘트'의 경영자라는 이미지는 이미 지나간 과거 얘기로, 현재 구전푸가 이끄는 그룹은 허신전화(和信電話), 허신미디어, 중국국제신탁은행, 생명보험회사인 중국인수(中國人壽), OA기기를 취급하는 대만전록(臺灣全錄), 투자회사인 중신증권(中信證券) 등 이들 산하 관련기업까지 포함하면 100개 사가 넘는 대기업이다.

이들 그룹 가운데 비교적 규모가 작은 편인 허신전화는 최근 폭발적으로 유행하고 있는 휴대전화업체로서 연간 매출 1,630억 인민

위엔에 가입자 수가 430만 명에 이르는 업체순위 3위의 견실한 기업이다.

고령의 나이에도 상당히 세련되고 멋쟁이인 구전푸는 입지전적인 인물로 알려져 있다. 게다가 자신이 직접 '경극(京劇)'[13]에까지 출연할 만큼 예술에도 관심이 많다. 최근 일본에서 활약 중인 리처드 구(「바람직한 엔고(円高), 바람직하지 못한 엔고(円高)」의 저자)는 바로 이 구전푸의 조카다. 대만의 화려한 일족은 일본과의 깊은 유대관계를 통해 부를 축적해 왔는데 그 연혁을 언급하기 전에 잠시 정치적인 내력을 살펴보기로 하자.

수년 전, 구전푸는 오사카(大阪)에서 열린 APEC(Asia-Pacific Economic Cooperation, 아시아태평양경제협력체)에 대만을 대표해서 참석했다. 명실 공히 대만 경제를 대표하는 구전푸는 당시의 APEC회의에서 중국의 장쩌민(江澤民)과 회동을 갖기도 했다. 구전푸는 일본 도쿄대학교(東京大學校)에서 유학한 경험이 있어, 영어는 물론 일본어 실력도 상당히 뛰어나다.

1953년 대만정부가 관영 대만시멘트를 매각했을 당시, 그 주주가 된 것이 구전푸가 실업가로서 첫발을 내딛은 시발점이 된다. 그는 대만시멘트의 사장, 회장으로서 점차 사업을 확장해 나갔다. 1966년에는 중화증권투자(中華證券投資)를 창설하였는데, 이 기업은 훗날 중국신탁(中國信託) 그룹으로 발전했다. 이렇게 해서 확장한 신

---

13) 경극(京劇): 청나라 때 시작된 중국의 구극(舊劇). 희문을 개편·각색한 것을 각본으로 함.

탁, 금융, 서비스 부문의 계열기업은 16개에 이른다. 또한 구전푸는 업계, 재계의 요직을 두루 거치고 있을 뿐 아니라 정부, 국민당의 중앙상무위원을 역임하고 있기도 하다. 더 나아가 중국과의 '해협교류기금회(海峽交流基金會)' 회장으로서 1993년에 '해협양국관계협회(海峽兩國關係協會)'의 왕다오한(汪道涵) 회장과 싱가포르에서 회담을 갖기도 했다. 이때 구전푸의 얼굴이 세계의 매스컴을 통해 비쳤다.

대만이 일본의 식민지 통치하에 있었을 무렵

부친 구샌룽(辜顯榮)은 대만 루강(鹿港)의 호족 출신으로, 일본의 식민지 통치에 협력하는 과정에서 대만 굴지의 대재벌이 되었다. 원래 구샌룽은 유민으로 타이베이(臺北)의 식육시장에서 정해진 직업도 없이 빈둥거리며 소일하다가 어느 날 야쿠자 두목으로 부상하게 되었다. 이 점은 시정잡배로 지내다 천하를 거머쥔 유방(劉邦, 한(漢)의 고조)과 사뭇 흡사한 구석이 있다.

「구샌룽전(辜顯榮傳)」에 의하면 구샌룽은 타이중(臺中) 근처에 있는 루강에서 타이베이로 나와 그곳에서 유민이 되었다고 한다. 한때 타이난(臺南)의 안핑(安平)과 루강, 타이베이의 완화(萬華)는 대륙 무역에서 더없이 융성했다. 중부 대만의 쌀을 실은 배가 대륙과의 사이를 오가며 무역은 상당히 번성했다.

루강에 있는 민속박물관에는 대만의 전통적인 의식주 문화와 토

착종교에 관한 문헌, 사진, 가구, 서적 등이 전시되어 있다. 광대한 부지에 오롯이 세워진 3층짜리 프랑스식 건물이 바로 100년 전에 지은 구샌룽의 저택이다. 아름다운 항구도시 루강에 가면 구샌룽 일가가 보존하고 있는 기념관을 겸한 민족박물관을 누구나 관광할 수 있다.

당시, 대만에서는 일부 청군(淸軍)이 군벌로 영락하거나 노상강도로 전락하기도 했다. 구샌룽은 일본군이 북쪽의 지룽(基隆)에 상륙하여 타이베이를 노리려 한다는 소문을 들었다. 그리고 이 소문을 들은 구샌룽은 주먹세계의 유력자로부터 은밀한 부탁을 받고 일본군 앞잡이 역할을 떠맡고 나섰다. 물론 목숨을 건 역할이었으니 야쿠자 두목 정도 되는 사람에게나 부탁하는 수밖에 없었을 것이다.

그의 성을 찬찬히 들여다보면 '죄가 없다'는 뜻의 '무고(無辜)'라는 한자에서 '무(無)'가 빠졌음을 알 수 있다. 즉 정부의 입장에서 보면 그는 '매국노'라는 죄인이었기에 정부가 임의대로 그의 이름 앞에 '구(辜)'라는 성씨를 갖다 붙인 것이다. 그런데 그것이 그대로 이름이 되어 버린 보기 드문 경우로, 중국인에게서는 거의 볼 수 없는 성씨다.

1895년, 일본은 시모노세키조약(下關條約)14)에 의해 대만을 청조

---

14) 시모노세키조약(下關條約): 1895년 4월 일본의 시모노세키(下關)에서 열린 청일전쟁의 강화 조약. 조선의 독립, 요동반도 및 타이베이 등의 분할양도, 배상금 지급 등을 내용으로 한다.

(淸潮)로부터 분할 양도받았고, 같은 해 일본은 청군(淸軍)을 대만으로부터 추방하는 데 성공했다. 역시 그 이면에는 구샌룽의 숨은 공로가 있었기에 일본정부는 그 대가로 구샌룽에게 무언가 보상해 주기로 했다. 이에 구샌룽은 설탕과 소금의 전매권을 갖고 싶다는 의향을 밝혔는데 이것이 훗날 구샌룽이 비약적인 발판을 쌓는 기초가 되었다.

1896년 일본은 구샌룽을 앞세워 '인웬차항(英源茶行)'이라는 차(茶)의 전매기업을 우선 매수시켰다. 이어서 타이베이보갑국(臺北保甲局)[15] 국장에 임명하고, 다음 해인 1997년에는 대만전매공사(臺灣專賣公社) 간부로 발탁됐다. 요컨대 소금, 담배, 차의 전매를 한 손에 거머쥐게 된 격인데, 여기에는 그의 뛰어난 장사수완을 어느 정도 인정받은 면도 솔직히 부인할 수 없다. 1934년 구샌룽은 일본의 귀족원[16] 의원으로까지 출세하였으며 그 후에도 사업을 하나하나 확장해 나갔다.

1937년 그가 사망한 이후, 세 명의 부인들 사이에서 낳은 자녀들 간에 유산 상속분쟁이 일어났는데, 결국 두뇌명석하고 어학에도 뛰어난 구전푸가 가업을 잇게 되었다. 엄청난 벼락부자가

---

15) 타이베이보갑국(臺北保甲局): 지방 질서를 유지하고 범죄자 검거와 색출을 위한 경찰 행정의 보조기관으로 1898년 8월 31일 대만총독부가 신설한 기관. 실질적으로는 경찰사무의 보조업무뿐 아니라 민정, 건설, 교통, 납세, 호구조사 등 일반행정 사무까지도 집행하였다. 1937년 중일전쟁이 발발하자 대만총독부는 전시동원을 위한 도구로 변환하기도 했다.

16) 귀족원(貴族院): 대일본제국 헌법 하의 제국의회의 상원. 황족(皇族), 화족(華族), 칙선(勅選), 제국학사원, 다액납세자 의원으로 구성되었다.

된 구샌룽에게는 예닐곱 명의 첩이 있었는데 귀족 분위기가 물씬 풍기는 구전푸는 구샌룽의 서자이다. 첩의 자녀 가운데 뛰어난 재능을 지닌 구전푸는 일본에 유학하여 영어 과목에서 최고 학점을 따는 등 총명함을 유감없이 발휘했다.

외래정권은 구전푸 일족도 탄압했다

전쟁이 끝난 후, '일본 앞잡이'라는 낙인이 찍힌 구전푸는 공산당에 밀려 대만으로 쫓겨난 장제스(蔣介石)에 의해 투옥되었다. 그가 투옥되어 있는 동안, 대만에서는 장제스(蔣介石)의 국민당이 대만 원주민들의 독립운동을 유혈 진압하는 2·28사건이 일어났다. 형기를 마치고 출감한 구전푸는 잠시 홍콩으로 몸을 피했지만, 그 후 다시 타이베이로 돌아갔다. 장제스의 끈질긴 요청에 못 이겨 시멘트사업을 경영하기 위해서였다. 당시 대만의 경제는 겨우 재건할 기미를 보이려는 참이었다.

전쟁이 끝난 후, 대만의 경제재건 과정에서 대만시멘트는 상징적인 중추기업으로서 성장해 갔다. 현재 대만시멘트의 본사 빌딩은 타이베이의 중심부에 위치한 중산베이루(中山北路)에서 그 위용을 떨치며 도도하게 주위를 내려다보고 있다. 대만시멘트의 활약상에 대해서는 굳이 따로 설명할 필요가 없을 정도이다.

일본 정계에도 인맥이 넓은 구전푸는 대·일간의 가교역할을 하며 수많은 공로를 쌓아 왔다. 그 같은 공로를 인정받은 구전푸는

1993년 3월 일본 천황이 주최하는 원유회[17]에 초대받기도 했다. 1994년 3월에 일본에서 열린 '동아경제인회의(東亞經濟人會議)'에 구전푸는 대규모 투자단을 이끌고 일본을 방문했다. 당시의 환영 리셉션에는 현직 통산대신[18], 역대 통산사무차관을 비롯해 국회의원 수십 명, 재계에서 히라이와 가이시(平岩外四), 이나바 고사쿠(稻葉興作), 세지마 류조(瀬島龍三), 가메이 마사오(亀井正夫) 등 쟁쟁한 인물들이 참가해 구전푸를 맞이했다. '동아경제인회의'란 대·일간의 경제적 유대관계를 강화하기 위해 매년 일본과 대만에서 번갈아 열리는(일본은 게이단렌(經團連)[19]이 사실상의 주최자) 경제회의를 말한다.

언제 보아도 서두르는 기색 없이 여유가 가득 넘치는 구전푸는 분위기를 자연스럽게 연출하며 인생을 느긋하게 즐길 줄 아는 달인처럼 보인다. 그 비결 가운데 한 가지는 그의 숨은 장기인 '경극'에서 나왔다고 본다. 2, 3년 전에 어느 회의에선가 그를 만났을 때 그가 "요즘도 경극 연습은 한 주에 3회는 하고 있습니다. 경극에서는 무엇보다 호흡이 중요하지요. 경극 연습으로 호흡조절이 단련된 덕분에 이렇게 건강한가 봅니다."라고 말해서 한바탕 웃었던 적이 있다.

---

17) 원유회(園遊會): 매년 새해가 되면 일본의 천황이 그 해에 눈부신 활약을 떨친 사람들을 황궁에 초청하여 여는 가든파티.
18) 통산대신(通産大臣): 우리나라의 정보통신부장관에 해당.
19) 게이단렌(經團連): 경제단체연합회(經濟團體連合會)의 약자. 1946년 설치된 각종 경제단체의 연락기관으로 우리나라의 전경련(全經連: 전국경제인연합회)과 같은 성격의 단체.

이어서 열린 연회에서 구전푸는 우선 중국어로 연설하고 나서 곧바로 자신이 직접 일본어 통역까지 해주는 자상한 면모를 보이기도 했다. 역시 구전푸다운 발상으로, 그것은 마치 경극을 공연하는 명인의 연기에 가까웠다.

구전푸의 부친 구샌룽이 극장을 소유하고 있던 관계로 그는 어릴 적부터 경극을 배우기 시작했다. 물론 구전푸의 연기 솜씨는 취미의 경지를 넘어 전문가 뺨칠 정도의 상당한 수준이다. 실제로 1998년 초, 유라쿠초(有樂町)의 국제포럼 대강당에서 열린 '타이베이신무대경극단(臺北新舞臺京劇團)'의 도쿄 공연에 구전푸 자신이 특별 출연하여 일본의 지인들을 놀라게 하기도 했다. 공연 당일, 일본의 정·재계 유력자들이 줄을 지어 공연장을 찾는 모습에서 그의 폭넓은 인맥을 여실히 느낄 수 있었다. 수백 개나 되는 화려한 화환이 공연장 입구를 가득 메우는 진풍경이 펼쳐졌다. 한편 이 공연은 일본의 인간문화재 시무라 자에몽(市村左衛門)과 그의 아들 시무라 만지로(市村萬次郎)가 1997년 9월 타이베이와 가오슝(대만 남서부에 있는 항구 도시로 대만 제2의 무역항-역주)에서 대성황을 거둔 가부키[20] 공연에 대한 답례 차원에서 이루어진 공연이었다.

대만 경극계의 명배우 리바오춘(李宝春)과 천위안정(陳元正)이 「삼국지(三國志)」, 「수호전(水滸傳)」 가운데서 '공성계(空城計)', '야저림(野猪林)' 등의 명장면을 연기했다. 구전푸가 등장하는 장면은 「삼

---

20) 가부키(歌舞伎): 에도(江戶)시대에 발달한 일본의 전통적 연극.

국지」의 제갈공명과 「동주열국고사(東周列國故事)」였다. 실은 필자도 이 경극 공연을 관람하러 갔었다.

공연 수익금은 대·일 학생교류 지원을 위한 장학기금으로 전액 기부되었다. 연극을 관람하는 내내 나는 화교 연구가 히이즈미 가츠오(桶泉克夫) 교수의 말을 떠올렸다.

"구전푸 씨는 역시 '유상(儒商, 유교적 덕목을 갖춘 상인-역주)'이에요"

구(辜) 그룹의 후계자는 구렌송

지금 구(辜) 그룹을 이끌고 있는 주역은 구렌송(辜濂松, 제프리 구)이다. 그는 대만공상협진회(臺灣工商協進會) 이사장이자 대·일 경제교류 추진을 위한 모임인 '삼삼회(三三會)'의 대만 측 대표로서 명실공히 대만 재계를 짊어지고 있는 '민간외교'의 얼굴이라 할 수 있다. 구렌송은 구전푸의 조카로 16살의 나이 차가 난다. 그 족보를 좀더 구체적으로 살펴보면 구렌송은 구샌룽과 장웨(張悅) 부인 사이에서 태어난 구웨푸(辜岳甫)의 삼남으로, 부인 린뤼후이(林瑞慧)와의 사이에는 3남 1녀를 두었다.

구렌송은 구(辜) 그룹의 허신집단(和信集團), 중국인수(中國人壽, 생명보험회사)의 동사장(董事長, CEO에 해당) 및 중국신탁상업은행(中國信託商業銀行)의 동사장을 역임하고 있다. 이밖에 공직에서도 폭넓은 활동을 하고 있는 그는 태평양경제협력회의(PECC)의 금융위원회 의장, 아시아태평양경제협력체(APEC)의 대만 대표단 고문을 맡고 있다.

구렌송은 1933년 타이베이에서 태어나 둥우대학교(東吾大學校)를 졸업한 뒤, 미국 뉴욕대학교(New York University)에서 경영학 석사학위(MBA)를 취득했다. 물론 일본과의 관계 또한 각별하다. 무엇보다 구렌송 부부의 일본어 실력은 여느 일본인이 당해내지 못할 정도로 유창하다. 풍부한 어휘력을 지니고 있는데다 최근 일본 내의 문제점도 훤히 꿰뚫고 있다.

'삼삼회(三三會)'의 부회장직을 맡고 있던 1998년에는 대규모의 투자단을 이끌고 일본을 방문했다. 그때 구(辜) 일행을 환영하기 위해 나온 인물 중에는 미츠비시상사(三菱商社), 미츠이물산(三井物産), NEC, 히타치제작소(日立製作所)의 회장이나 사장의 모습도 보였다. 구전푸 삼삼회 대표 및 현 국회 부의장인 장빙쿤(江丙坤, 당시 경제기획청 장관) 방일단 단장 외 간부들은 이시하라 신타로(石原愼太郞) 도쿄도지사와 간담을 갖기도 했다. 또한 화일(華日)의원연맹의 야마나카 사다노리(山中貞則) 중의원(衆議員)의원과도 간담을 나누는 등 그들 일행은 일본 각지에서 환대를 받았다. 마지막 날 기자회견에서 대표단은 "일본업계에 베이징어(北京語)는 물론 영어를 구사할 줄 아는 기업가가 부쩍 늘었다."며 일본기업에 대한 소감을 밝혔다. 대만의 비즈니스계도 차츰 세대교체가 이루어져 일본어를 능숙하게 구사할 수 있는 세대가 은퇴를 바라보는 칠십대 정도뿐이다. 그렇다면 앞으로 양국간의 긴밀한 관계를 유지하는데 일본어 실력만으로는 무리가 있지 않을까 싶다.

삼삼회는 대만 재계의 유력 기업과 대만에 진출하고 있는 일본 기업으로 구성되어 있다. 삼삼회에 가입한 일본기업을 살펴보면 마루베니(丸紅), 이토추(伊藤忠), 토-멘(ト-メン), 닛쇼이와이(日商岩井), 산와은행(三和銀行), DKB, 기린맥주(キリンビル), 가고시마(鹿島), 일본아시아항공(Japan Asia Airways), 소니(SONY), 마쓰시타(松下), 후지츠(富士通) 등이 있다. 이 모임은 반드시 기업의 사장이나 회장이 참석하는 것을 원칙으로 삼고 있으며 대리 출석은 절대 인정하지 않는다.

언젠가 나도 그 모임에 초대되어 기자회견에 참석한 적이 있는데, 그 자리에서 장빙쿤(江丙坤) 방일단장은 다음과 같은 우려를 표명했다.

"최근 대만의 경영자 2세들 사이에서는 미국유학 붐이 일어, 영어는 능숙한데 반해 일본어 실력은 보잘것없으며 일본의 국내사정에도 어두운 것이 현실입니다. 이는 곧 대만 경영자들 가운데 지일파가 점차 줄어들고 있다는 반증이기도 하지요. 앞으로도 일본기업과는 인간관계를 중시하면서 경제적인 유대관계를 계속 유지해 나갈 생각입니다만 미국과의 긴밀한 관계에 비하면 아무래도 뒤늦은 감이 없지 않습니다."

뒤이어 계속된 구전푸 회장의 발언은 차후 대·일 무역에 대한 기대를 더욱 구체적으로 내비쳤다.

"이 삼삼회에 모인 40개 사의 매출실적만으로도 대만 GDP의 3분의 1을 차지합니다. 더구나 이 모임은 국영기업을 제외한 순수한 민간기업으로만 구성되어 있다는 점이 중요합니다. 대만 국내 종합

3위(1위는 미국, 2위는 중국)를 차지하는 대·일 무역의 수출입 규모는 370억 달러에 달합니다. 일본에서의 수입은 단연 최고인데 반해서, 일본으로의 수출은 6위를 기록하고 있지요. 앞으로 이 같은 무역불균형을 시정하기 위해 더욱 노력해 나갈 것입니다."

머지않아 금융 비즈니스의 일본 진출도 가능

기자회견장에 참석한 삼삼회 부회장 구렌송에게 나는 대·일간의 금융 비즈니스에 대한 전망을 물어보았다.

그러자 구렌송은 "현재 도쿄에는 구(辜) 그룹 산하의 중국국제신탁은행 주재원 사무소밖에 없지만, 이미 그밖에 금융기관의 도쿄지점 개설도 금융감독청에 신청해 놓은 상태입니다. 외국은행이 일본 땅에 발을 붙여 수익을 올리기가 여간 힘든 일이 아니라는 걸 잘 알고 있기 때문에 우리 측에서 보면 일대 결심인 셈이지요. 일본에서 자금을 빌린다고 해도 엔고가 예상되는 지금부터는 굉장히 힘들어질 것입니다."라며 여유 있는 웃음을 지어 보였다. 지금까지 대·일간에는 기술제휴, 특허의 공여, 제조설비 이전 등과 같이 주로 제조업 분야의 제휴가 주류를 이루었는데, 처음으로 금융업 분야에까지 제휴의 의사를 내비친 셈이다. 나는 그의 발언을 통해 일본 금융계에 큰 기대를 걸고 있는 대만의 심경을 엿볼 수 있었다.

구렌송은 당시 리덩후이(李藤輝) 총통의 참모로 활약하기도 했다. "아시아 재벌 2세도 디지털 혁명을 쫓는가?"라는 표제의 2000년 2월

7일자 『비즈니스위크』의 특집에서는 대만의 구렌송과 그의 아들 제프 구가 화제의 인물로 기사화되어 있었다. 『비즈니스위크』의 기사에 따르면, 현재 일본과 미국에서 은행 온라인 시스템에 집중투자하고 있는 제프의 최대 관심사는 '음성인식기술'로 이는 곧 '중국어권에서 컴퓨터 기술의 폭발적인 혁명을 가져올 것'이라고 했다.

이 외에도 나는 구렌송과 몇 번인가 만난 적이 있다.

2000년 가을 마츠모토(松本)에서 열린 '아시아 오픈 포럼(Asia Open Forum, 가메이 마사오(龜井正夫)와 나카지마 미네오(中島嶺雄) 등이 주재)의 대만측 대표로 참가한 구렌송은 마츠모토 시에서 사흘간 머무른 후, 마지막 날은 근처 일본풍의 온천여관으로 장소를 옮겨 답례 연회를 열었다. 그때도 그는 비서단을 거느리며 자가용 비행기를 타고 나고야(名古屋) 공항으로 날아왔다. 마침 그때 구전푸가 미국에서 요양 중이었기 때문에 갑작스럽게 대표의 자격으로 방문하게 된 것이다. '아시아 오픈 포럼'은 300여 명의 일본과 대만의 학자, 문화인, 저널리스트들이 몇 개의 분과위원회로 나뉘어 의견을 교환하는 포럼으로 12년에 걸쳐 계속되고 있다.

내가 맨 처음 구렌송과 만난 것은 1998년 대만에서 열린 어느 국제회의에서였다. 해외에서 300명 가까운 저널리스트가 초대된 대규모 국제회의였다. 회의 끝에 열린 롄잔(連戰) 부총통 주최의 다과회가 끝난 후, 나를 포함한 몇몇 저널리스트가 구렌송의 중국국제신탁은행(中國國際信託銀行) 본사 빌딩으로 초대되었다. 번쩍번쩍 빛을 뽐내며 신도심지에 우뚝 솟은 멋진 빌딩이었다. 그 자리에는 『겟칸아시아(月刊Asia)』 사장인 사카이 겐이치로(境健一郞), 작가 나카무라 아키히코(中村彰彦), 『분게이 쥬(文藝春秋)』의 기자가 함께 동행했는데, 구렌송의 일정이 **빡빡한** 관계로 따로 장소를 마련하지 않고 본사 빌딩의 특별실에서 환영연회를 열어 주겠다고 했다.

예정시간보다 일찍 도착한 우리들은 비서의 안내를 받아 연회장소로 향했다. 그곳에는 우리보다 앞서 손님이 와 있었다. 보통 중국의 연회라 하면 열댓 명이 둥근 식탁에 둘러앉아 담소를 나누며 식사를 하는 것이 상례이므로, 우리는 함께 초대받은 다른 손님이겠거니 싶어 이런저런 세상 돌아가는 얘기를 서로 나누고 있었다. 상대는 서투른 영어로 "베트남에 가본 적이 있는가?", "일본은 베트남에 어느 정도 투자하고 있는가?"라는 질문을 해 왔다. 뭔가 좀 의아하다 싶던 터에 구렌송이 황급히 뛰어 들어왔다. 비서가 베트남 금융방문단과 우리의 모임이 같은 방에서 열리는 줄 알고 그만 실수를 저질렀다는 것이었다. 결국 우리들은 다른 연회장으로 안내되었다. 사실 본사 빌딩의 최고층에는 연회를 병행할 수 있도록 두세 개의 응접실이 마련되어 있었다. 아마 구렌송은 그날도 모임 일정을 동시에 두 군데나 잡아 놓았던 모양인데, 결국 이쪽에서 20분, 저쪽에서 30분씩 시간을 쪼개어 무난히 연회를 치렀다.

그 자리에서는 다채로운 화제가 오갔는데 그는 실로 박학다식했다. 게다가 일본의 최신 정보에도 통달하고 있어 당사자인 우리들도 혀를 내두를 정도였다.

얘기 끝에 다음 날은 신주(新竹) 하이테크파크로 견학 갈 예정이라고 했더니, 그 공업단지에도 자신이 경영하는 IT회사가 있으니 꼭 들러서 공장을 구경하고 가라고 권했다. 그래서 회사 이름이 무엇이냐고 물었더니 잠시 후 비서를 시켜 팸플릿을 가져오게 하고서는 그제야 '○○반도체'라고 대답했다. 회사 수만도 100개 사가 넘다 보니 천하의 구렌송이라도 전부 머릿속에 기억하기는 무리였나 보다.

리처드 구 역시 구(辜) 그룹의 일족

일본에서 저명한 경제전문가로 활약 중인 리처드 구는 구렌송과는 사촌관계이며, 구전푸와는 숙부와 조카관계이다. 그 이름이 영어명인 데다 '리처드'라는 크리스천 이름을 표방하고 있기 때문에 설마 그가 대만 독립운동의 투사인 구콴민(辜寬敏)의 아들, 구자오밍(辜朝明)이라는 사실을 아는 사람은 별로 없다. 한자어 '고(辜)'는 중국어로 발음하면 '구'가 된다.

노무라소켄(野村總研) 주임 연구원이자 경제전문가인 리처드 구는 경제문제를 다루는 텔레비전 프로그램에서도 활발하게 활동을 하고 있으며 「바람직한 엔고, 바람직하지 못한 엔고」, 「일본경제, 사느냐 죽느냐의 선택」 등의 저술로 잘 알려져 있다. 최근의 베스트셀러로는 「대차대조표 불황」이 있다.

고베(神戶)에서 태어나 뉴욕연방은행을 거쳐 일본으로 귀국한 그는 경제전문가로 활동하면서 예리한 경제전망으로 명성을 확고히 다져 나갔다.

그런데 최근 들어 리처드 구는 중국 투자에 근본적으로 회의를 품기 시작했다. 2001년 11월,『자유시보(自由時報)』주최로 타이베이에서 열린 대담회 석상이 그 발단이었다.

리처드 구는 "대만의 WTO(World Trade Organization, 세계무역기구) 가입 후, 국제화는 당연히 새로운 정치적 난제를 돌파해야 할 것이다."라는 서론으로 강연을 시작했다. 그리고 "대만은 현재 사상 초유의 불황에 돌입하고 있음에도 대륙 투자는 날로 확산되고 있으며, 나아가 총선 직전에 천수이볜(陳水扁) 정권은 중국에 대한 투자 규제를 대폭 완화했다. 이로 인해 대만산업의 공동화 현상은 점점 심각해지고 있으니 실로 우려할 만한 문제다."라며 리처드 구는 말을 이었다.

부실채권이 걸림돌이 되어 경기회복이 더딘 것이 아니냐는 질문에도 다음과 같이 알기 쉽게 분석하여 설명을 해주었다.

"부실채권으로 인해 은행의 자금 공급이 힘들어지고 있다. 만일 금리가 상승국면에 놓여 있다면 경기회복에 지장을 주겠지만 다행히 금리는 내려가고 있다. 이는 곧 산업계에 자금수요가 없다는 반증이기도 하다. 일본기업은 1980년대 눈덩이처럼 불어난 부채를 방치한 채 미처 대책을 강구하지 못하고 있던 차에 자산의 가격이 폭락할 대로 폭락하고 말았다. 그래서 이번에는 자금을 투자에 돌리지 않고 부채를 반제하는데 온통 집중하고 있다. 하지만 오히려 이 방법이 불황의 주범이 되고 있다."

일본식 경영방식의 장점을 최대한 도입한 기업

그렇다고 해서 구(舊) 그룹이 화교 상술에만 완전히 젖어 있는 것은 아니었다. '일본식 경영방식'의 장점만큼은 계속해서 도입해 나갔는데 이것은 다른 아시아지역의 화교 기업과 크게 다른 점이다. 흔히 일본인 사업가들이 대만과는 사업을 하기가 쉽다고들 하는데 이는 곧 대만 기업에는 인맥을 소중히 여기는 일본식 경영 요소가 짙게 깔려 있기 때문이다. 따라서 앞으로도 대만과 일본은 좀더 의젓한 태도로 양국관계를 다져 나가야 할 것이다.

그런데 최근 중국이 일본 교과서 왜곡문제 및 '엔저'의 강경 개입 등을 들면서 지나치다 싶을 만큼 일본정부에게 내정간섭적인 요구를 해왔는데 이러한 중국의 태도는 일본인들의 정서에 나쁜 인상을 남겼다. 이 같은 중국의 태도는 대만과 완전히 상반된 태도다. 거기다 최근에는 장물강도와 같은 흉악 사건이 급증하고, 밀항자가 난입하는 등 일본인들의 눈살을 찌푸리게 하는 사건사고가 속출하고 있다. 최근의 여론조사만 보더라도 중국은 '좋아하는 나라'에서 '싫어하는 나라'의 상위로 전락하였다. 반면 대만은 언제나 '좋아하는 나라'의 상위 그룹을 지키고 있다.

세계적으로 저명한 중국 분석가 윌리 램(CNN · 홍콩)은 "일본의 ODA[21]삭감 및 세이프가드[22] 발동으로 인해 중국의 대일(對日)감정도 악화되고 있어 앞으로 중일관계는 부정적인 방향으로 급선회할 것."이라고 내다보았다.

---

21) ODA(Official Development Assistance): 선진국의 개발도상국에 대한 정부 개발원조.
22) 세이프카드(Safe Card): 긴급수입제한조치.

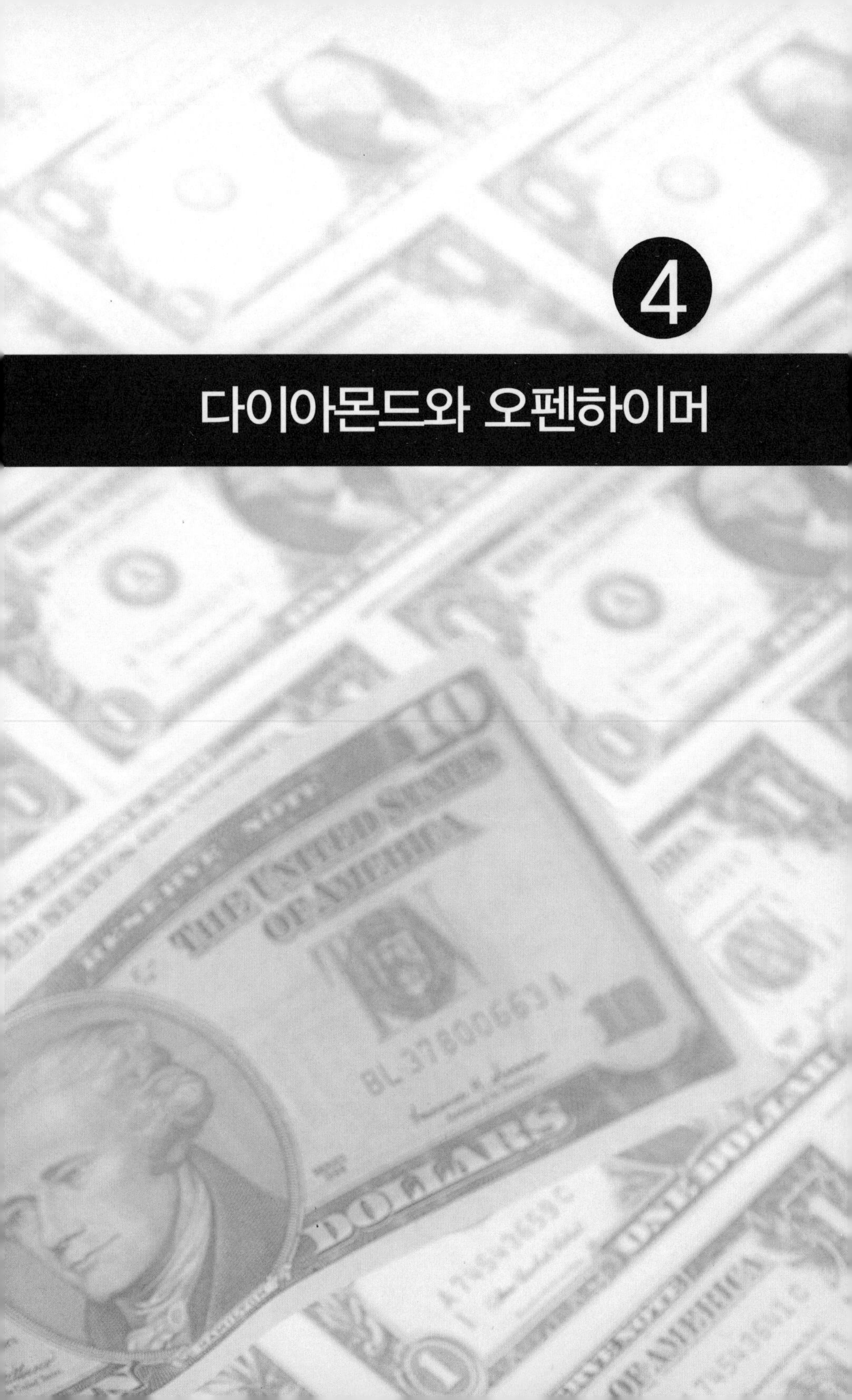

다이아몬드와 오펜하이머

오펜하이머

다이아몬드 이권의 왕국 - 오펜하이머(Harry Oppenheimer)는 다이아몬드의 생산, 수송, 판매의 전 과정을 독점해 갔다. 즉 다이아몬드의 생산에서 판매에 이르는 전 과정을 통해 가격을 제어할 수 있는 독창적 조정기구를 맡은 것이다.

빌 게이츠와의 공통점이 있다

세계의 컴퓨터시장을 석권하고 있는 마이크로소프트(Microsoft)사 사장 빌 게이츠(William H. Gates)는 '아메리칸 드림을 이룬 사람'으로 전 세계에 알려져 있다. 중국과 같은 사회주의국가에서도 그의 자서전이 날개 돋친 듯 팔리고 있다.

그러나 '빌 게이츠 제국'은 클린턴 정권 하에서 하마터면 '회사 삼분할'의 위기에 처할 뻔했으며, 예나 지금이나 세계 최대의 재벌이라 불리는 록펠러(Rockefeller, John Davison) 또한 사업의 지나친 독점으로 인한 반트러스트법23) 위반으로 급기야 회사가 석유의 발굴, 정제, 수송, 판매의 네 부문으로 분할되고 말았다.

그런데도 다이아몬드의 채굴, 가공, 판매의 전과정을 독점하고 있는 드비어스(De Beers)사의 상법은 어째서 이토록 막강한 카르텔(Kartell, 기업연합-역주)이 허용되는 것일까? 게다가 현재에 이르기까지 그 메커니즘이 계속 유지되고 있으니 정말 알다가도 모를 일이다.

일본은 결혼식의 예물로 흔히 다이아반지를 교환하는 풍습이 있다. 묘하게도, 기독교와는 전혀 상관없는 일본인이라도 결혼식을 올릴 때면 갑자기 너나없이 크리스천이 된다. 전통적인 일본 예식이 엄연히 존재하는데도 일부러 섬나라 하와이의 교회까지 건너가 예식을 올리는 이유는 무엇일까? 이 점에 대해서는 다음 기회에 논하기로 하고 지금은 다이아몬드 예물교환에 대해 언급하기로 한다. 결혼반지에 쓰일 보석이라면 오팔이든 자수정이든 아무려면 어떨까 싶은데, '결혼예물의 다이아는 신랑 월급의 세 배 가격을 기준으로!'라는 거창한 광고를 접하게 되면 그 화려한 영상에 영향을 받아 그만 혹하게 되는 모양이다.

드비어스사는 지금까지 전 세계적으로 다이아몬드를 공급한 회사로 알려져 있다. 도대체 어떠한 방법을 썼기에 그토록 교묘하고 과학적인 체계의 독점 상태를 유지할 수 있었을까? 근세까지만 해도 다이아몬드의 산지라고 하면 인도나 브라질을 꼽았다. 자본이 그다지 많지 않은 '엘도라도'[24]에는 단지 노예의 인해전술에 의한

---

23) 반트러스트법(反트러스트법, Antitrust Laws): 시장을 지배하는 독점행위나 거래의 제한을 목적으로 하는 기업합동을 금지 또는 제한하는 법률의 총칭.

채광(採鑛)이 주를 이루었으므로 산출량은 연평균 10만 캐럿 정도에 지나지 않았다.

18세기에 접어들면서 브라질산 다이아몬드가 단연 양적 우위를 자랑하게 되자, 드비어스사는 암스테르담, 앤트워프 등지의 네덜란드에 다이아몬드를 연마, 가공하는 공장을 설립했다. 당시 다이아몬드의 무역, 가공, 판매에 관한 모든 비즈니스는 유태인이 독차지했다.

그러다가 1866년 남아프리카에서 엄청난 다이아몬드 광맥이 발견되었고, 영국이 본격적으로 다이아몬드사업에 손을 대기 시작한 것은 바로 이 광맥 발견이 계기가 되었다. 1867년 트란스발[25]에서 금광이 발견되고 킴벌리[26]에서 다이아몬드가 발견되자 영국은 이 지역에서 지배권을 확립하기 위해 많은 영국인을 이곳으로 이주시켰다. 따라서 영국인과 보어인 사이에 마찰이 생겨 1881년부터 1884년 사이에 제1차 전쟁이 일어났다. 영국은 '남아프리카금광특허회사'와 유사한 이익단체를 만들어 그 기업을 국유화하는 과정에서 자신들의 권익을 지키려고 했고, 결국 이로 인해 보어전쟁[27]이 발발하게 된다.

결국 남아프리카금광특허회사가 광맥을 독점하긴 했으나 이번에

---

24) 엘도라도(El Dorado): 아마존 강변에 있다고 상상한 황금의 나라, 보물섬.

25) 트란스발(Transvaal): 남아프리카공화국 북동부도시, 세계 제일의 금산지.

26) 킴벌리(Kimberly): 남아프리카공화국 케이프 주 북동부에 있는 도시.

27) 보어전쟁(Boer War): 남아(南阿)전쟁 또는 남아프리카전쟁이라고도 한다. 1899~1902년 영국과 트란스발공화국이 금광의 지배권을 확보하기 위해 벌인 전쟁.

는 무분별한 채굴로 인한 급격한 과잉생산으로 다이아몬드 가격이 세계적으로 불안정한 추세를 보이게 되었다. 만일 이러한 사태를 그대로 방치하게 되면 다이아몬드 채광업자의 수지가 맞지 않을 게 불을 보듯 뻔했다. 이에 세실 로즈(Cecil J. Rhodes, 영국의 아프리카 식민지 정치가-역주)는 로스차일드의 자금을 빌려 당시 최대의 라이벌이었던 킴벌리 광업회사와 합병하여 '드비어스 광업회사'를 설립했다. 그 후로도 계속해서 광산업체를 매수해 나간 드비어스사는 19세기 말 다이아몬드광맥의 90퍼센트 이상을 지배하게 된다.

독일계 유태인 오펜하이머(Harry Oppenheimer)는 러시아혁명이 일어난 1917년에 앵글로아메리칸(Anglo American)을 설립했다. 제1차 대전 후, 오펜하이머는 독일의 신탁통치 하에 놓이게 된 남서아프리카(현재의 나미비아에서 보츠와나 주변-역주)의 광산을 차례로 손에 넣었다. 그렇게 해서 콘실리데이티드마인즈(Consolidated Mines)사를 설립한 오펜하이머는 1930년에 드비어스사의 회장이 되었다.

이런 식으로 그는 다이아몬드의 생산, 수송, 판매의 메커니즘을 거의 독점해 갔다. 말하자면 오펜하이머는 다이아몬드의 생산에서 판매에 이르는 전 과정을 통해 가격을 일방적으로 제어할 수 있는 독창적 조정기구를 창조한 것이다.

그가 이러한 메커니즘을 형성하는 데는 다음과 같은 전략적 발상이 작용했다.

첫째, 오펜하이머는 다이아몬드의 생산자조합을 결성해 다이아몬드의 생산조정에 들어갔다. 이는 그야말로 석유의 생산조정을 담당하는 OPEC의 원형이라 할 수 있다.

둘째, 일단 채굴한 원석을 모두 사들인 후, 정교하게 분류작업을 실시할 다이아몬드 무역회사를 설립했다. 석유로 치자면 중유에서 가솔린, 휘발유, 디젤을 한 곳에서 정제해 선별하는 격이다.

셋째, 오펜하이머는 다이아몬드를 독점적으로 판매하는 '중앙판매기구'를 만들어 말 그대로 독점체제를 실현했다. 다시 말해 광맥을 독점적으로 지배하여 생산조정을 거친 후 가격을 결정하는 것이다. 여기서 나온 이익을 모아 다음 생산조정을 위한 자금원으로 충당하는 과정이 바로 드비어스사 경영기법의 순환시스템이라 할 수 있다.

유태국가 이스라엘과 드비어스의 갈등

이스라엘의 기간산업은 다이아몬드산업이다. 이스라엘은 다이아몬드의 수출입에 관한 한 관세를 매기지 않는다. 따라서 공항 면세점에서 담배나 술을 사듯이 이스라엘 공항에서는 면세 특전으로 다이아몬드를 구입할 수 있다. 따라서 이스라엘에서는 다이아몬드를 일본 시중가의 3분의 1 정도밖에 되지 않는 저렴한 가격에 구입할 수 있다.

이스라엘에서는 다이아몬드의 연마, 가공기술이 뛰어난 다이아몬드 세공 디자이너가 무수히 배출되었으며, 나아가 세계 각지의 판매주도권까지 쥐게 되었다. 지금은 이스라엘 수출품목의 약 4분의 1 이상을 다이아몬드가 차지하고 있다.

그러나 드비어스는 '비록 인종은 같은 유태계라 할지라도 사업은 별개'라는 이념 하에 1970년대 후반부터는 이스라엘을 '사업의 라이벌'로서 간주하기 시작했다.

드비어스는 이스라엘에 대해 원석 할당량을 20퍼센트 삭감하겠다고 통고했다. 마치 이스라엘이 석유공급을 삭감한다고 해서 OAPEC(Organization of Arab Petroleum Exporting Countries, 아랍석유수출국기구)가 아랍 보이콧(이스라엘과 거래를 한 회사에게는 석유를 판매하지 않는다-역주)을 정치 무기로 삼았던 수단과 흡사하다. 이스라엘은 이에 맞서 드비어스를 거치지 않고 직접 원석을 사들이기 시작하더니 마침내 드비어스사와 같은 수준의 원석 재고량을 보유하기에 이르렀다. 그 결과 다이아몬드 원석은 세계적으로 공급과잉 상태가 되어 마침내 드비어스의 가격통제 체계가 무너지고 말았다. 자연히 다이아몬드의 가격은 걷잡을 수 없이 폭락하기 시작했다.

이제 더 이상 두고 볼 수 없었던 드비어스사는 가격의 안정화를 위해 반격을 가하기 시작했다. 다름 아닌 이스라엘의 다이아몬드산업에 대한 '금융압박작전'을 쓰기로 한 것이다. 이스라엘의 다이아몬드 산업에 융자를 해준 은행이나 이스라엘과 원석 직거래를 한 아프리카 산출국 및 업자는 금융계를 통한 고도의 압박작전으로 인해 마침내 드비어스에 무릎을 꿇게 된다. 그 결과 이스라엘에서는 수천 명의 세공 기술자가 거리로 나앉게 되었고, 이에 위기를 느낀 이스라엘정부 역시 드비어스 진영에 손을 들었다.

이로써 드비어스의 위기가 어느 정도 사라졌나 싶더니 뒤이어 '소련의 붕괴'라는 예기치 않은 위기가 또다시 찾아왔다. 남아프리카에 버금가는 다이아몬드 산출국으로 잘 알려진 소련은 그중에서도 극동 사하 공화국이 드비어스에 다이아몬드를 독점적으로 공급해 왔다. 하지만 소련이 와해되자 사하 공화국은 외국과 직접 다이아의 거래를 하기 시작했다. 이로써 드비어스 간부가 소련의 문턱을 바삐 넘나들며 다이아의 가격 및 생산조정에 관한 물밑작업을 벌인 결과, 간신히 합의점을 도출하는 데 성공했다. 구소련의 입장에서도 드비어스의 시스템을 최대한 이용해 가능한 한 많은 외자를 끌어들이는 편이 오히려 득이 된다고 판단했을 것이다.

다이아몬드에 눈독을 들이고 있던 과격파

드비어스의 또 다른 잠재적 라이벌은 황당하게도 미국 9·11테러의 주모자 빈 라덴(Osama Bin Laden)이 이끄는 알카에다(Al-Queda)였다.

서아프리카에 시에라리온(Sierra Leone)이라는 나라가 있다. 수도 프리타운에는 이 나라 총인구의 3분의 1에 해당하는 150만 명이 살고 있다. 남쪽으로는 해군이 많기로 유명한 라이베리아(Liberia, 애니미즘을 믿는 독재국가-역주)가 인접해 있다.

근접 이슬람 국가가 이 나라에 관심을 기울이기 시작한 것은 이곳에서 산출되는 풍부한 다이아몬드가 혹시 테러리스트의 자금원으로 유용되고 있는 게 아닌가 하는 의혹이 제기되고 나서부터였다. 2001년 11월 초순에 열린 UN안보리에서도 이 문제가 정식의제로 채택된 바 있다.

2001년 11월 1일자 『워싱턴포스트』지는 "빈 라덴의 자금담당으로 지목되는 남자가 가끔 시에라리온으로 건너가 저렴한 가격으로 대량의 다이아몬드를 사들이고 있는 사실을 영미 정보기관이 포착했다."고 보도했다. 바야흐로 테러리스트의 자금원을 차단하기 위해 미국과 영국이 주축이 되고 스위스까지 동참한 국제적 협력네트워크가 작용하기 시작한 것이다. UN에도 팽팽한 긴장감이 감돌기는 마찬가지였다. 미국과 일본을 비롯한 유럽 각국은 알카에다와의 관련이 예상되는 미심쩍은 은행구좌를 모두 동결하여 테러리스트의 자금통로를 완전히 차단하는 압박작전에 돌입했다. 하지만 언젠가 그러한 상황이 올 것을 예상하고 있던 빈 라덴 일당은 현금으로 통용할 수 있는 '통화 대용'의 다이아몬드에 일찌감치 눈독을 들이고 있었다. 그러나 아무리 숨기기 쉽고, 눈에 띄지 않게 운반이 가능한 다이아몬드라 하지만, 워낙에 드비어스가 세계의 기업연합을 독점하고 있던 터라 암거래는 생각만큼 그리 쉽지가 않았다. 그런데 시에라리온의 한 다이아몬드 도매업자로부터 "2001년 7월 이후, 수상쩍은 거래가 늘고 있다. 현금으로, 그것도 웃돈을 얹어서 대량 사들이는 바이어가 출현했다."는 소리가 나돌기 시작했다. 이에 FBI의 간부는 "이 같은 품목은 정상적인 국제시세로 가격이 상승한다 해도 대량구입이 있을 시에는 자금세탁(Money Laundering)의 소지가 있기 때문에 수사에 착수하는 것이 상례"라고 밝혔다

시에라리온의 다이아몬드 광맥은 게릴라 조직인 RUF(혁명통일전선)의 지배지구와 교차되는 부근에 있는 탓에 과거 4년간에 걸친

이 나라의 내전은 가히 다이아몬드 광맥을 둘러싼 쟁탈전이라고도 할 수 있다. 시에라리온이나 이웃나라 라이베리아에서는 여전히 군사 쿠데타가 빈발하고 있다. 역시 『워싱턴포스트』의 기사에 따르면 "007가방에 현금을 가득 채운 다이아몬드 중개인은 벨기에에서 라이베리아의 수도 몬로비아로 건너가 거래를 한다. 주로 시에라리온의 국경지대에서 암거래가 이뤄지는데 라이베리아정부는 그러한 상황을 묵과하고 있다."고 한다.

암거래의 중심인물은 이브라힘 바하라는 게릴라 출신의 남자로, 소련이 아프간을 침공하였을 때는 카불(Kabul, 아프가니스탄 수도-역주)까지 달려가 싸운 역전의 용사이다. UN의 비판에도 라이베리아의 테라 대통령은 엄중한 단속은커녕 암거래 업자의 커미션을 챙기기까지 했다. 벨기에의 브뤼셀에서 다이어 암거래 중개상이 오면 프리패스 특전 부과는 물론 경비원을 내보내 영접하기까지 했다고 한다.

어찌 되었든 간에 UN의 정식의제로까지 비화된 바 있는 다이아몬드 직거래의 수수께끼는 드비어스가 막후에서 조작해 낸 자작극이 아니냐는 관측이 조심스레 나돌기도 했다.

금력, 권력 그리고 권위

결국 재벌들에게 궁극적으로 요구되는 것은 소유의 사회 환원이나 사회봉사다. 그들의 입장에서 보면 별로 달갑지 않겠지만 말이다. 작년 들어 전형적인 사회 환원의 본보기를 보여 주고 있는 조지 소로스(George Soros)는 여생을 오직 자선사업에 바치고 있다. 유럽 사회에서는 소위 '노블레스 오블리제(Noblesse Oblige, 높은 신분에 따르는 도덕상의 의무-역주)'라 하여 재벌들의 대규모 기부는 당연시되고 있다. 바꾸어 말하면 이는 곧 세계 제일의 부호 빌 게이츠든 누구든 간에 '신이 가져다 준 부의 행운을 그렇지 못한 불우한 이웃들에게 환원하라'는 발상이라 할 수 있다. 이슬람 사회의 희사(喜捨, 부유층이 빈곤층에 베푼다-역주)정신 역시 이와 같은 맥락에서 연유한 것이다. 따라서 자기 배만 배불리 채우고 사회에 환원하지 않는 재벌은 국민들로부터 존경은커녕 원망만 사게 된다. 영국은 사회봉사에 전념한 재벌이나 외자를 벌어들여 국익에 일조한 사람에게는 훈장과 작위를 수여해 보답한다. 한 시대를 풍미했던 세계 최고의 그룹 비틀즈(Beatles) 역시 영국정부로부터 훈장을 받았다. 이는 곧 명예가 사회의 시스템으로써 구축되어 있다는 반증이기도 하다.

하지만 그 속내를 들여다보면 재벌들의 사회 환원 행위의 이면에는 권력과 명예를 추구하는 숨겨진 야심이 자리 잡고 있음을 알 수 있다. 사회적으로 어느 정도 성공한 재벌이 정치가를 꿈꾸는 움직임도 우리 주위에서 흔히 볼 수 있다. 일본에서도 세이부철도(西武鐵道) 창립자인 쓰츠미 야스지로(堤康二郎) 씨가 훗날 중의원의원으로 활동하는 등 이 같은 사례는 무수히 많다. 이 책에서도 제8장에서 블룸버그(Michael Bloomberg) 뉴욕시장을 예로 들고기 한다.

그러나 '권위'나 '권력'은 비단 부자라는 조건만으로는 쟁취할 수 없다. '정계의 비단 손수건'이라 불리던 후지야마 아이이치로(藤山

愛一郞)는 주변의 어중이떠중이들로부터 돈을 뜯긴 채, 보기 좋게 배반만 당하고는 결국 총리의 자리에는 오르지도 못했다. 마키아벨리적 전략전술[28]이 제대로만 갖춰져 있다면 '권력'은 어느 정도 쟁취할 수 있지만 '권위'만큼은 인위적으로 연출할 수 있는 것이 아니다. 이것은 독재의 유형을 살펴보면 잘 알 수 있다.

빈곤 속에서 온갖 고생 끝에 권력을 거머쥐게 된 클린턴 전 대통령은 돈에 눈이 어두워진 나머지, 수전노로 돌변해 검은 돈의 뒷거래로 인한 스캔들이 끊이질 않았다. 그 외에도 불륜, 은폐의혹 등 그의 정치인생의 말년은 오욕으로 점철되었다. 따지고 보면 자업자득이겠지만 백악관의 주인으로서 '권력'은 쥐었어도 '권위'를 쟁취하지 못한 클린턴은 결국 국민들로부터 비웃음만 산 채 물러서야 했다.

러시아 황제는 권력을 등에 업고 인민을 착취하였으며 호화로운 궁정과 별장을 세웠다. 게다가 러시아 정교(正敎)는 신의 권위를 황제에게 부여하려 하기까지 했다. 국민들로부터 진정한 존경과 사랑을 받지 못하면 마침내 폭력혁명으로 인해 독재자의 권력은 저지당하고 만다. 동서고금을 막론하고 독재자들은 거의 비슷한 운명의 길을 걷게 된다.

한국을 살펴보자. 축소 중화사상의 체질이 짙게 깔린 이 나라의

---

28) 마키아벨리적 전략전술(Machiavellism): 약육강식의 냉혹한 현실에서 강자로 살아남기 위한 방법론. 즉 권력의 유지 및 확대를 위해서는 수단과 방법을 가리지 않으며 결과에 의해 모든 행위가 정당화된다는 사고방식.

역대 대통령들은 일단 실각하기만 하면 너나없이 기구한 운명에 놓였다. 암살을 당하거나 산사로 유배생활을 떠나거나 혹은 망명길에 오르기도 한다. 그야말로 역대 중국황제들과 그 처지가 비슷하다. 이는 곧 독재자는 '권력'이나 '금력'은 갖출 수 있어도 '권위'는 결코 획득할 수 없다는 역사의 법칙을 여실히 보여 주는 실례이다.

오펜하이머는 최대한의 지혜를 짜내 세계 최강의 카르텔을 만들었다. 하지만 석유카르텔의 기반은 일시적으로는 탄탄했어도 여기저기에서 허점이 발견되는 바람에 마침내 중도에 무너지고 말았다. 빌 게이츠도 록펠러와 마찬가지로 '회사분할'이라는 사법명령 직전의 위기에까지 몰렸다.

세계경제는 자유무역과 자유경쟁을 원칙으로 하는 WTO 규정을 토대로 성립되어 있다. 따라서 눈부시게 변화하는 시대의 흐름에 맞춰 스스로 적극적으로 변신해 나가는 노력이 무엇보다 요구된다. 전 세기의 유물이라 할 수 있는 다이아몬드 독점 체제는 과연 언제까지 유지될 것인가? 오펜하이머가 승부수로 내놓을 차후의 수단이 몹시 기대된다.

5

대만의 꿈을 실현한 두 사람

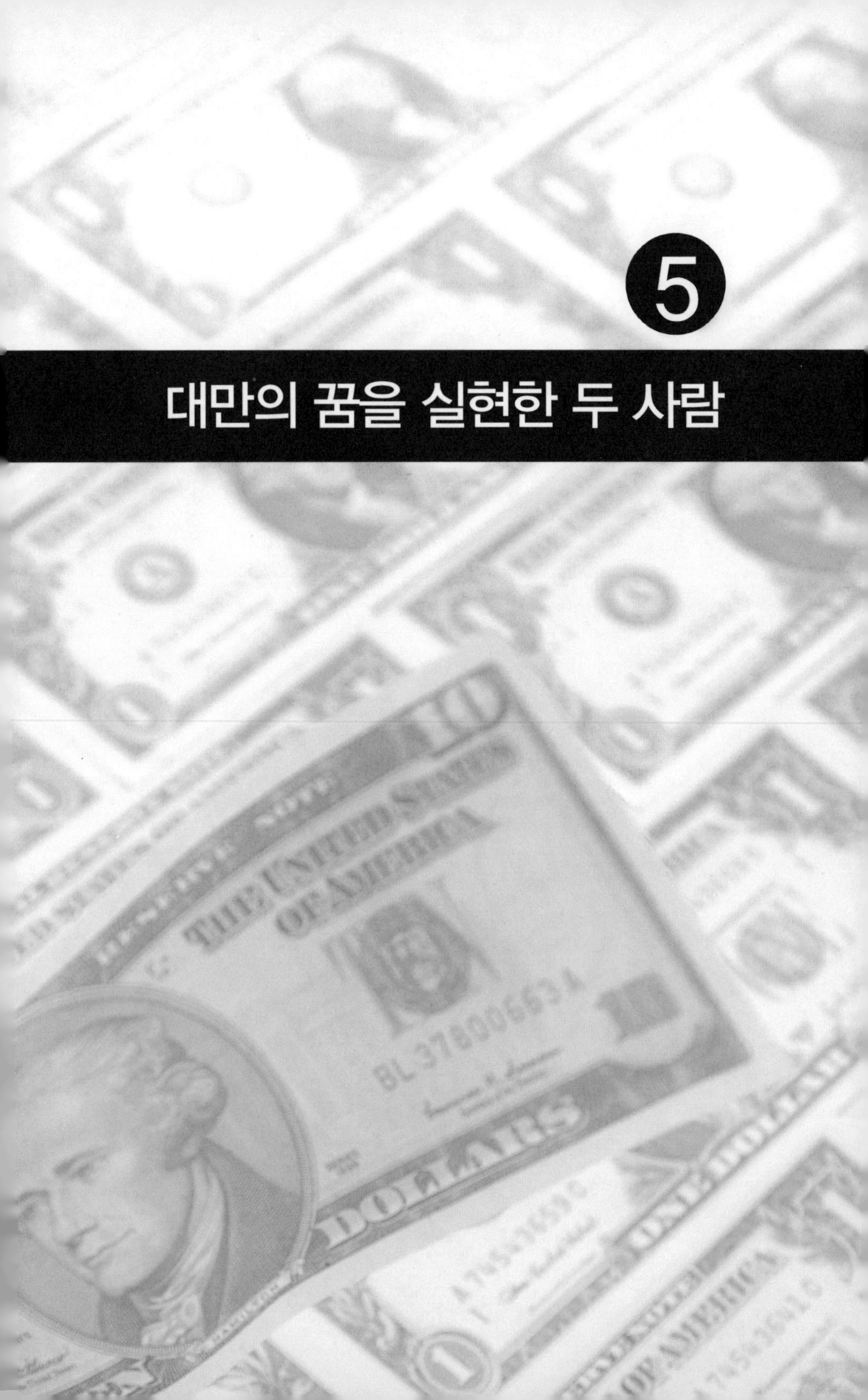

왕융칭

대만의 마쓰시타 고노스케 - 왕융칭은 '근본을 추구하고 행동을 추구한 후에 새로움을 추구하라'는 이념을 원칙론으로 삼고 있다. '새로움만을 먼저 앞세우게 되면 사업은 반드시 실패한다'는 게 왕융칭의 변함없는 신념이다.

대만의 성공기

왕융칭(王永慶)은 쌀가게 점원 노릇부터 시작하여 오늘날 대만 최대의 민간기업을 형성한 입지전적인 인물이다.

바로 작년까지만 해도 대만 재계의 유명인을 들라고 하면 단연 왕융칭을 꼽았다. 그의 성공이야기는 『타임』지의 커버스토리를 장식하기도 했다. 대만의 미디어에는 하루가 멀다 하고 그의 이름과 사진이 실린다. 쌀가게 점원 시절에 장사의 철칙을 익힌 왕융칭은 그 후에 손을 댄 목재업에서 몇 번이나 실패를 거듭하면서도 결코 좌절하지 않았다. 앞으로는 목재보다 석유화학 분야가 차기 사업으로 유망할 것으로 내다본 그는 대담한 투자를 감행해 플라스틱재료

제조업체를 세웠다.

왕융칭은 비록 초등학교조차 변변히 나오지 못했어도 대성공을 거둔 전형적인 성공신화의 주인공인 까닭에 곧잘 일본의 마쓰시타 고노스케(松下幸之助, 일본 마쓰시타전기산업(松下電氣産業)의 창립자-역주)와 비교되곤 한다.

왕융칭은 러시아 혁명이 일어난 1917년 타이베이 교외 지역에서 태어났다. 당시 소련에서 일어난 레닌의 적색혁명의 여파는 마침내 중국대륙까지 덮치고 있었다.

글 하나 읽고 쓸 줄 몰랐던 부친 왕장겅(王長庚)은 손바닥만한 밭에서 수확한 차를 팔아 생계를 꾸려 나갔다. 가난한 농부의 아들로 태어난 왕융칭은 초등학교에 들어가기 이전부터 물긷기, 땔감 줍기를 도맡아 하였으며, 초등학교 3학년 때부터는 소를 기르며 집안일을 도왔다. 왕(王)은 열다섯 살의 어린 나이에 집을 떠나 자이(嘉義)에 있는 한 쌀집 점원으로 일하기 시작했다. 밤낮을 가리지 않고 열심히 일한 덕분에 그 다음 해에는 자신의 가게를 내기까지 이르렀다. 고향에 있는 동생 왕융짜이(王永在)까지 불러들여 그야말로 온 가족이 쌀가게 경영에 매달렸지만, 그렇다고 갑자기 손님이 찾아드는 건 아니었다. 왕융칭은 고객확보를 위한 차별화전략을 궁리한 끝에 정교한 탈곡작업을 거쳐 쌀겨를 줄이거나 가가호호 택배서비스를 개시하는 등의 상술로 장사를 확대해 나갔다. 그렇게 하는 사이에 어느덧 정미소를 운영하게 되었다. 일본의 식민지 통치 아래 있던 대만에서 정미소라 하면 거의 일본인이 독차지하고 있었다. 그러나 왕(王) 일족은 쌀의 철저한 품질관리는 물론 심야영업으로 영업시간을 연장하는 등의 노력을 하여 꾸준히 시장을 개척해 나갔다.

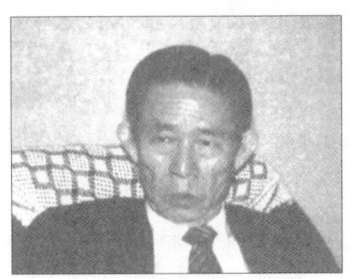
왕융칭

그 후 전쟁이 시작되어 쌀은 정부의 배급, 통제 아래 놓이게 되었다. 그러자 정미업에서 손을 뗀 왕융칭은 느닷없이 우라이(烏來)에 토지를 구입해서 벽돌공장을 세웠다. 이때 그의 나이 스물여섯이었다. 하지만 날이 갈수록 전쟁이 격화되는 바람에 원재료의 조달에 차질이 생겨 벽돌공장은 문을 닫을 수밖에 없었다. 그러나 왕(王)은 거기서 좌절하지 않고 다시 목재상에 손을 댔다. 그는 대만 각지의 산림을 일일이 돌아보며 목재 조달을 위한 기반을 다져 두었다. 마침내 전쟁이 끝나자 왕융칭에게도 엄청난 상운이 열리기 시작했다. 물론 모두가 소처럼 열심히 일하던 당시의 시대 상황으로 보아 밤낮을 가리지 않고 일에만 매달린 사람이라면 왕융칭 외에도 얼마든지 있을 것이다. 그런데 그렇게 똑같이 일을 하고서도 왕융칭은 대성공을 거두었는데 어째서 다른 사람들은 그렇지 못한 것일까? 그것은 바로 숙고에 숙고를 거듭한 끝에 끊임없이 새로움을 추구하는 예리한 직감이 톡톡히 한몫을 거둔 것이라고 생각한다. 그것은 학문으로는 결코 얻을 수 없는 힘이었다.

1953년, 인생의 전환점이라 할 만한 커다란 계기가 왕(王)에게 다가왔다. 왕융칭의 목재상이 한계점에 도달했던 차에 대만의 경제는 이제 막 재건의 궤도를 타기 시작했다. 대만정부는 대만의 '차기 공업화'를 위해 민간기업의 플라스틱 부문 진출을 적극 권장하고 나섰다. 왕(王)은 당장에 플라스틱사업에 참여할 의사를 밝혔다.

당시만 해도 일본에서 한 달에 생산되는 폴리염화비닐(PVC) 분말은 3,000톤밖에 안 되었다. 왕(王)은 일단 월 100톤 정도 생산할 수 있는 PVC공장을 가동시켰다. 그러나 소규모 공장은 오히려 비용이 비싸게 먹힌다는 사실을 절감했고, 그는 계속해서 공장을 확장해 급기야 1960년대에는 월 1,200톤의 생산능력을 지닌 공장을 가동하기에 이르렀다. 그 후 승승장구의 기세를 타고 발전한 타이완플라스틱에 대해서는 더 이상 설명하지 않아도 될 것이다.

차세대에 각광을 받을 신소재에 대한 끊임없는 개발과 적극적인 진출로 왕융칭의 사업 규모는 날로 확대되어 갔다. 공업화의 물결을 타고 미국에 광대한 부지를 마련하여 세계 최대급 PVC공장과 VCM(염화에틸렌)공장을 가동시킴은 물론, 원료수송을 위한 '화학선'을 독자적으로 구입하여 시간과 비용의 절감을 꾀하기도 했다. 이어서 불화수소산, 염화탄소, 용제(溶劑), 무수불화수소, 강중(江中) 메탄 등 부가가치가 높은 화학제품을 생산하기 시작했다.

필자는 10년 전에 왕융칭과 한 시간 정도 인터뷰를 가진 적이 있다. 일본의 경제 전반에 관해 어찌나 줄기차게 물어오던지 오히려 주객이 전도되어 내 쪽에서 질문공세를 받고 말았다. 그 탓에 정작 우리 측에서 질문하고자 했던 왕(王)의 대륙투자관에 대해서는 물어보지도 못한 채 인터뷰를 마쳐야 했다. 사진도 두세 장 정도 찍고 나더니 "이제 됐다."며 포즈를 취해 주지 않았다. 비록 말투가 거칠기는 했지만, 왕(王)은 쌀가게 점원시절부터 귀동냥만으로 익힌 일본어로 조금도 불편함 없이 대화를 나눴다.

왕융칭은 미국 부지에 대한 구설수에 관해서는 다음과 같은 가치관으로 그 설명을 대신했다. "토지는 그 필요성을 느낄 때마다 부분, 부분 사들이는 것보다 대단위로 한꺼번에 구입해 두는 편이 훨씬 이득이라는 얘기를 듣고 하나 둘, 사들이기 시작한 것이 그만 대단지가 되어 버렸다."며 여유 있는 웃음을 지어 보였다. 그의 얘기는 단지 부지를 싸게 산 데 대한 자랑이 아니라 비용 절감에 관한 끊임없는 노력으로 얻어진 결과를 자부하는 듯 했다. 광대한 토지의 비축은 훗날 야기될지도 모를 환경문제의 대안이 될 수도 있으며, 만에 하나 사업이 실패했을 경우 여분의 토지를 매각 처분하여 해결할 수도 있으므로 부동산 구입에 관한 일반인들의 발상에 경종이 되었다고 본다.

왕(王)의 기업이 미국에 진출한 것은 텍사스 주 휴스턴에 세운 대만플라스틱공장이 최초였는데 그 후 델라웨어 주, 루이지애나 주에 차례로 세계 최대 규모의 석유화학공장을 건설했다. 또한 왕(王)은 사원들의 미국 출장 시에 호텔 숙박비를 절약하기 위해 사원들이 묵을 수 있는 일반 수련원 규모의 어마어마한 별장을 짓기도 했다.

플라스틱사업이 초고속으로 확대되어 예상외의 발전을 거듭함에 따라 왕(王)은 지연과 혈연으로 얽힌 종래의 경영방식, 즉 화교 상술에 한계를 느끼게 되었다. 게다가 대만의 착실한 경제성장에 비해 만성적인 일손 부족으로 인한 인재 확보의 어려움에 더 이상 손을 쓸 길이 없었다. 유능한 엔지니어가 워낙 적은데다 그나마 있는 사내의 인재마저 라이벌 기업과 국영기업에서 스카우트 해 가는 지경이었다. 이토록 절박한 상황이니 친척이다 동향출신이다 해서 아무짝에도 쓸모없는 공원들을 계속 늘려 나갈 수는 없는 일이었다.

지연과 혈연으로 얽힌 화교 상술의 한계는 왕(王)의 기업이 세계적 대기업으로 성공한 이후 처음 직면하는 '최대의 역경'이었다. 엔지니어 부족을 통감한 왕융칭은 인재 양성을 위해 자신이 손수 학교를 설립하기로 했다. 그도 그럴 것이 플라스틱사업을 하다 보면 재료의 수요로 미루어 보아 차세대 기술의 전망이 어느 정도 열리게 된다. 일찌감치 반도체에 눈길을 돌린 왕(王)은 1974년에 IC기반 공장을 건설하기 시작했으며, 석유화학사업의 부차적 생산물인 아크릴, 폴리에스테르, 레이온과 같은 화학섬유산업에도 진출하게 되었다.

왕(王)은 "근본을 추구하고 행동을 추구한 후에 새로움을 추구하라."는 이념을 생활철학의 원칙으로 삼고 있다. '새로움만을 먼저 앞세우게 되면 사업은 반드시 실패한다.'는 것이 왕융칭의 변함없는 신념이다. 따라서 왕(王)은 그러한 사고방식에 입각해 엔지니어 육성 전문기관인 '밍지(明志)공업전문학교'를 창설하게 되었다. 그가 이 교육기관에 투자한 사재 1억 5,000만 위엔(元)은 1963년 당시의 실세가격으로 환산해 50억 엔(円) 정도나 된다.

일본적인 색채가 물씬 풍기는 대만플라스틱의 '신입사원교육'은 어딘가 모르게 색다르다. 중국은 물론 유럽사회에서는 간부직원이 몸소 공장을 견학한다는 것 자체가 보기 드문 일이며 엘리트 사원은 공장에서 일하지 않는 것이 상례로 되어 있다. 그런데 왕융칭은 철저한 합리주의와 인센티브제도를 중시한 사원관리를 경영방침으로 삼았다. 우수한 성과를 거둔 사원에게는 거액의 '특별보너스'를 지급하였으며 실력 있는 유능한 사원에게는 승진과 함께 대폭적인 권한을 부여했다. 이 그룹의 신입사원들은 학력을 불문하고 모두 같은 출발선상에서 출발하게 된다. 일류대 출신이건 고졸 출신이건 이 회사 신입사원이라면 바닥청소부터 시작해 그룹의 조직체계를 익히기 위해 현장을 직접 돌아보게 된다. 소위 '지옥훈련'이라 불리는 고된 합숙훈련과정을 마친 후, 마지막 날에 치르는 시험을 통과해야 비로소 정식 사원으로 채용된다. 이쯤 되고 보면 일본 기업의 연수보다 훨씬 엄격하다고 할 수 있다. 아니, 그렇기 때문에 세계 제일의 플라스틱업체로서 명성을 날릴 수 있게 되었는지도 모른다.

왕융칭이 사재를 털어 병원을 짓게 된 것도 부친의 사망이 그 계기가 되었다. 병원 이름도 자신의 이름이 아니라 부친의 이름을 따서 '창장병원(長江病院)'으로 했다. 게다가 이 병원은 애초부터 입원전문병동을 교외에 따로 지었으며 소아과, 외과, 치과, 방사선과 등 부문별 독립채산제를 도입해 의사들에게도 경영의식을 갖게 했다.

노령의 나이에도 여전히 아침 조깅으로 하루 일과를 시작하는 등 국경을 넘나들며 동분서주하는 왕융칭의 다이내믹한 에너지는 가히 노익장을 과시하고도 남음이다.

1988년 무렵, 왕융칭은 대만 재계를 뒤흔들 만한 일대 프로젝트에 온 정신이 팔려 있었다. 그 프로젝트란 70억 달러의 막대한 비용

을 투자해 중국의 푸젠성에 거대한 공장을 세우려는 야심만만한 계획이었다. 왕(王)은 1989년과 1990년 두 차례에 걸쳐 은밀히 중국을 방문해 덩샤오핑(登小平)을 만나기도 했는데, 급기야 이 소문은 대만의 정계마저 뒤흔들었다. 한편 중국은 공업단지의 인프라 정비를 급속도로 완성하는 등 왕(王)의 대륙 진출을 대대적으로 환영하고 나섰다. 중국정부 입장에서 보면 차후에 자본을 투자할 가망이 있는 외국기업에게는 우선 이 정도의 서비스를 제공하는 것쯤이야 기본이었다. 이것은 야오한(ヤオハン)을 중국으로 끌어들인 수법과 아주 똑같았다. 마침 '톈안먼사건(天安門事件)'의 후유증으로 골치를 앓고 있던 중국정부는 당국의 어두운 이미지를 불식시킬 왕(王)의 투자를 열렬히 환영하고 나섰다. 하지만 그 프로젝트는 조건이 맞지 않아 순조롭게 진척되지 못했다.

대만정부는 '대만의 국익을 고려한다.'는 미명 아래 왕(王)의 대륙 진출에 제동을 걸고 나섰다. 왕(王)이 중국대륙에 막대한 자금을 집중 투자하게 되면 대만의 국내 산업에 공동화를 초래할 우려가 있을 뿐만 아니라 중국의 각종 법적 규제에 얽매여 자금과 설비만 빼앗긴 채, 결국 빈손으로 돌아오게 될 것이 뻔했기 때문이다.

"왕(王)이 대륙진출을 계속 강행할 경우, 그의 프로젝트에 정치적인 압력을 가하겠다."며 위압적으로 나오는 대만정부와 왕(王) 사이에 마찰이 오가는 사이에 중국 측의 열기도 이내 식어 버렸다. 이는 중국의 경제상황이 급속도로 호전되어 굳이 왕융칭에게 매달릴 필요가 없어졌기 때문이다. 1992년에 접어들자 푸젠(福建), 샤먼(廈門)으로 몰려들기 시작한 1만여 대만기업이 200억 달러가 넘는 거액의 투자를 했다. 대만 측은 대만기업의 메뚜기 군단과 같은 대대적인 이동에 불안을 느끼면서도 한편으로는 일시적 현상으로 내다보았다. 대륙에 진출한 대부분의 기업이 주로 노동집약형 산업의 중소기업인 데다가 언젠가 중국의 임금이 상승하게 되면 베트남, 캄보디아, 미얀마로 또다시 자본의 이동이 일어날 것이기 때문이다.

정치적 발언을 시작하다

대만의 대륙 진출이 왕성해진 무렵에도 왕융칭은 여전히 대만 국민들의 존경을 한몸에 받고 있었다. 그 즈음 왕(王)의 정치적 발언의 횟수는 차츰 늘어나기 시작했다. 하지만 과거의 투자 유형을 돌이켜보면 그러한 그의 행동에 별로 놀랄 것도 없었다. 지론을 편의적으로 발전시킨 "중국은 하나, 단 두 개의 평등한 정부가 있을 뿐"이라는 그의 발언은 분명 중국정부의 심기를 건드리기는 하겠지만, 사실 따지고 보면 사업가가 단지 현실을 논한 것에 지나지 않는다.

저렴한 인건비의 매력에 이끌린 대만 기업가들이 너도나도 대륙으로 진출하는 바람에 2002년 2월 현재 중국에 진출한 대만기업의 수는 무려 5만여 개에 달하고 있으며, 왕융칭은 그 대표라 할 수 있다.

중국은 '톈안먼사건' 이후 대만 문제에 대해 고압적인 자세로 목청을 높였다. 이와 함께 일본의 신사참배문제와 교과서 왜곡문제를 들먹이며 강한 어조로 비판하고 나서 양국관계에 찬물을 끼얹었다. 중국정부는 톈안먼사건에 대한 곱지 않은 시각을 무마시키기 위해 잠시 국민들의 눈길을 돌릴 만한 정치적인 캠페인을 벌이기 시작한 것이다. 그러나 때로 중화사상은 도저히 수습할 수 없는 비정상적인 내셔널리즘을 폭발시켜 느닷없는 사건을 야기하기도 한다. 따라서 중국정부는 평소 대만의 투자를 부추김과 동시에 한편으로는 '통일, 통일'하고 계속 구호를 외쳐야만 했다.

2001년 6월 21일자 『자유시보(自由時報)』에 실린 투고에는 다음과 같은 글이 실렸다.

"중국 공산당은 왕융칭의 영향력을 이용해 대만을 위협하는 반면에 부드러운 유인작전으로 구슬리기도 한다. 왕(王)은 자사의 대륙진출에 대해 대만 기업의 생존이 걸린 문제라고 말하고 있지만, 일본이나 구미의 기업 가운데서도 이렇게 지나칠 정도로 대륙진출에 빠져든 예는 없다."

여하튼 대만정부는 리덩후이(李登輝) 정권 때부터 물꼬를 트기 시작한 이 대대적인 투자를 늘 못마땅하게 여겨 왔다.

그래도 계속되는 대륙 진출

대만이 기업가들은 '정경분리'이 원치을 구실 삼아 계속해서 대륙진출을 시도했다. 작년에 중국은 서부개발사업에 세계 각국의 기업을 유치하기 위한 작전을 벌였는데, 특히 대만 기업이 적극적으로

응해 왔다. 중국정부는 신규 진출기업인 '신타이상(新臺商, 중국이 대
만기업에게 붙여준 닉네임-역주)'을 어떻게든 대륙으로 끌어들이기 위
해 온갖 수단과 방법을 총동원했다. 부드러운 목소리와 상냥한 웃
음 뒤에 가려진 대륙의 속내를 알아차렸을 때는 이미 옴짝달싹할
수 없는 상황이 되고 말았지만 말이다. 그야말로 중국정부에 있어
서 대만 기업은 '여왕벌에게 헌신하는 일벌군단'인 셈이다.

　이로 인해 대만의 각 신문사에는 "왕융칭의 평등론은 경솔하기
짝이 없다."며 비판했다. 왕융칭은 지난 대만총통선거에서는 자신
이 경영하는 창장병원의 장자오슝(張昭雄) 원장을 쑹추위(宋楚瑜)가
이끄는 친민당(親民黨) 부총재 후보로 내세워 중국정부에 추파를 보
내기도 했다. 또 최근에는 대만의 독립적인 색채가 짙은 『자립만보
(自立晩報)』에 자금 원조를 중단하는 바람에 이 신문은 휴간에 들어
갔다.

　세계 최대의 석유화학업체인 대만플라스틱 그룹을 이끌고 있는
왕융칭은 중국에 투자한 발전소의 건설 계획을 순조롭게 진척시키
기 위해 개인적으로도 100억 달러(대만달러) 이상 조달했다. 이 발전
소에 대한 투자총액은 미화 30억 달러를 넘는다. 당초 대만플라스
틱, 난야(南亞), 대만화공(臺灣化工)의 세 기업이 60퍼센트, 대만플라
스틱 미국공사(公司)가 40퍼센트를 투자해 화양전업공사(華陽電業公
司)를 설립한 후, 이곳에서 발전소에 대한 투자를 해 나갈 계획이었
지만 대대적인 투자규모에 불안을 느낀 대만 당국이 서두르지 말
것을 권하며 투자를 제한해 왔다. 이로 인해 대만플라스틱 그룹이
대만에서 대륙으로 송금을 할 수 없게 되자 별 수 없이 60퍼센트의

투자자금은 타이완플라스틱 아메리카가 대체송금을 해야 했다.

또 왕(王)은 투자를 석유산업 분야에서 서서히 과학 분야로 확대해 나갔는데 샤먼(廈門)과 닝보(寧波)의 부두건설에 투자해 석유화학원료 공급의 주요 항으로 삼겠다는 장래의 비전을 제시했다.

그런데 생각과는 달리 중국 내 전력 수요는 좀처럼 늘지 않았다. 한 정보통이 전하는 바에 의하면 발전소 건설을 너무 서두른 탓에 왕융칭은 30억 달러 이상의 손해를 보았다고 한다. 엎친 데 덮친 격으로 발전소의 적자에 이어 이번에는 병원사업에도 제동이 걸렸다. 중국정부는 왕융칭이 베이징 시에 건설 계획 중이던 창장병원이 '독점출자에 따른 법령'에 위배된다는 이유로 제동을 걸고 나섰다. 따라서 합법적으로 베이징에 창장병원을 건설하기 위해서는 '기금회'를 설립해 거기에 왕융칭이 투자를 하는 형식 외에는 달리 방법이 없었다. 중국 법률의 규정상, 외자를 도입해 병원을 건설할 경우, 외자의 주식점유율이 70퍼센트를 넘어서는 안 된다고 되어 있기 때문이다.

원래 건강 분야에 관심이 많아 누구보다 먼저 대만에 병원을 세운 왕융칭은 대만의 많은 이들로부터 지지를 받아 왔다. 중국 최대의 병원을 지향하는 창장병원은 결국 이런저런 연유 끝에 베이징 시내에서 20킬로미터 권내에 위치한 토지를 매수해 건설이 추진되었다.

쉬원룽

노장사상을 토대로 한 경영방침의 실행자 - 나는 놀라지 않을 수 없었다. 지금이야 '사외중역제도'가 보편화되었다지만, 당시로서는 미국에서나 실시함직한 제도를 쉬원룽은 과감히 단행한 것이다.

왕융칭과 대조적인 스타일의 경영인

세계 제일의 ABS(Acrylonitrile Butadiene Styrene Copolymer, 플라스틱수지)업체 치메이실업(奇美實業)을 이끄는 쉬원룽(許文龍)은 1928년 대만(臺灣)의 타이난(臺南) 시에서 태어났다. 10명의 자녀를 둔 부친이 서른 한 살의 나이에 실직한 탓에 그는 늘 쪼들리는 환경 속에서 성장했다. 쉬원룽은 잠시 동네 공장에서 일을 하다가 전쟁이 끝난 후에 타이난에서 일용잡화 및 완구용품을 제조하는 가내공업을 시작했다. 생활용품을 플라스틱으로 대체하려는 당시의 시대적인 추세를 남보다 한발 앞서 간파한 결과였다. 시대의 변화를 꿰뚫는 정확한 안목은 왕융칭과 공통된 점이다.

1959년, 쉬원룽은 치메이실업(奇美實業)을 설립했다. 현재 가전제품 및 자동차부품 원료인 ABS수지 분야에서는 세계 최대 규모를 자랑하는 치메이실업은 최근에는 액정 패널 분야에까지 진출했다.

쉬원룽은 제4회 '닛케이(日經) 아시아상'(1999년)의 영예의 수상자로 선출되기도 했다. 이 상은 아시아에서 눈부신 공적을 쌓은 경영인에게 주어지는 상이다. 쉬(許)는 부상으로 받은 상금 300만 엔을 아시아의 환경보호를 위해 힘쓴 분이나 단체에게 전해 달라며 일본 경제신문에 맡겼다.

쉬(許)의 경영철학은 왕융칭과는 사뭇 대조적이다. 그는 주 이틀밖에 출근하지 않으며 나머지 시간에는 근해에서 요트를 즐기거나 독서와 바이올린(만돌린) 연주를 하며 대부분의 시간을 할애하고 있다. 그리고 대만 우선정책(優先政策)을 내건 리덩후이(李登輝) 전 총통과 각별한 사이인 데다 총통부 국책고문을 맡고 있는 관계로 그의 발언은 언제나 만인의 관심거리가 된다.

대단한 지일파(知日派)이기도 한 그는 특히 고토 신페이(後藤新平)에 대한 편향적인 자세가 남달랐다. 대만의 대부분의 산업기반설비는 일본의 식민지시대에 구축된 것이며 오늘날의 대만의 번영은 당시 일본의 공적이 있었기에 가능한 것이라고 쉬(許)는 주장한다.

쉬원룽의 저서 「대만의 역사」에는 다음과 같은 구절이 나온다.

"알위(兒玉) 총통시대에 고토 신페이는 대만의 민정장관으로 취임했다. 고토는 독일 유학을 다녀온 의학박사로 근대적 사고방식을 지닌 인재였다. 민정장관으로 취임하자마자 대만 국내 조사 작업에 착수한 고토는 그 조사 자료를 토대로 개발계획을 세웠다. 국채 발

행 및 일본정부의 지원, 일본 재벌기업의 대만 유치는 물론 대만은
행의 설립 등 물심양면의 노력 끝에 개발비용의 자금을 조달했다."

고토 신페이는 외국의 기술을 도입하여 대만의 주요기간산업을
육성시킨 외에도 대만 각지에 학교, 수리, 농업시험소를 건설함은
물론 제당기술을 몰라보게 근대화시킨 장본인이다. 이와는 대조적
으로 오직 사리사욕에 눈이 어두웠던 당시의 공무원들은 대만의
발전은 안중에도 없이 그저 국민들을 착취하는 데에만 혈안이 되어
있었다.

쉬원룽은 천수이볜(陳水扁, 현 총통)이 타이베이시장으로 재직하
고 있던 시기에 고토 신페이의 동상을 타이베이 시내의 공원에 세
우려 했던 적이 있다. 타이난 청즈(城址)공원 내의 박물관에는 이미
쉬원룽이 기증한 고토의 동상이 세워져 있다.

얼마 전 취재 차 대만에 갔을 때 나는 쉬원룽 회장이 늘 자랑으로
삼고 있는 치메이미술관을 둘러보기 위해 타이난까지 찾아갔다. 3
년 전에는 부분적으로 보수공사를 하고 있던 터라 온전히 구경하지
못해 아쉬웠는데, 그때는 느긋하게 화랑을 돌며 작품을 감상할 수
있었다. 소박한 전원풍경과 만면에 수확의 기쁨이 가득한 농민, 생
선을 낚아 올리는 어부들의 생생한 표정 등 세계 각국에서 수집해
온 '고향'을 소재로 한 그림들이 한자리에 모여 있었다. 작품을 가만
히 들여다보고 있자니 온 몸의 긴장이 눈 녹듯이 녹아들면서 풋풋
한 온정이 전해지는 듯했다.

그날 밤은 쉬원룽의 자택에 초대되어 근사한 타이난 요리를 맛
본 후, 쉬원룽의 콘서트를 감상하는 영광의 기회를 누렸다. 내가

쉬원룽의 바이올린 연주 모습

쉬원룽과 만난 것은 세 번인데 자택에 초대된 것은 그때가 처음이었다. 대저택이겠거니 하고 생각했는데 상점 한가운데에 자리한 2층짜리 건물이라 전혀 의외라는 생각을 했다.

집안 구조도 지극히 검소하고 소박하여 도저히 세계적인 기업가이자 호상의 집이라고는 믿어지지 않았지만, 그의 경영철학을 듣게 되면서 차츰 납득이 갔다. 그가 소장하고 있는 악기는 모두 세계 각지에서 수집한 명품들이었다. 그는 멀리서 찾아온 손님을 환영한다는 의미에서 직접 바이올린을 연주해 주었다. 그가 우리를 위해 특별히 연주해 준 '고향', '토담집'과 같은 일본악곡의 선율이 얼마나 가슴 깊이 스며 오던지, 연주에 심취해 있는 쉬(許)의 표정은 더없이 평온해 보였고, 계속 이어지는 귀에 익은 선율에 우리들도 시간 가는 줄 모르고 흥얼거렸다.

쉬원룽이 소장하고 있는 그림이나 조각에는 이루 형용할 수 없는 우아함이 배어나 있다. 그는 자신이 작품을 구입하는 기본 방향에 대해 다음과 같이 말했다.

"재산을 어느 정도 모은 후에 그것을 어떻게 쓸까 하고 생각해 보았습니다. 역시 결론은 문화생활의 향상에 써야겠다는 생각이 든더군요. 저는 작가의 이름을 묻기 전에 우선 마음에 드는 작품을 고릅니다. 그리고 일반인이 봐서 모를 성싶은 그림은 아예 사지 않을 것을 원칙으로 하지요."

이 말은 일본의 경영자들에게 꼭 들려주고 싶은 대목이다.

함께 갔던 이지리 가즈오(井尻千男, 닥쇼쿠대학교(拓殖大學校) 일본문화연구소 소장-역주) 씨가 인상파 작가의 그림이나 그리스도가 십자가에 걸린 종교화는 아예 없냐고 묻자, "나는 참으로 행복한 것 같습니다. 벌어들인 돈의 쓰임새가 확실히 정해져 있으니까요."라는 대답이 돌아왔다.

그는 장자(莊子)를 신봉한다고 했다.

쉬(許)는 전쟁이 끝난 직후 두세 명의 종업원을 둔 가내공업에서 출발했고, 그렇게 하는 사이에 인젝션 몰딩(Injection Molding, 플라스틱 사출성형-역주) 분야에 뛰어들어 오늘날의 대기업을 일군 것이다.

최근에는 "일주일에 이틀밖에 출근하지 않고서도 어떻게 회사의 발전을 유지해 나가는가?"라며 그의 '경영 노하우'를 듣고자 세계 각처에서 손님들이 찾아든다고 한다.

"실업(實業)은 곧 허업(虛業)에 상반되는 개념을 말합니다. 나는 종업원들에게 부동산투기나 주식조작으로 떼돈을 벌려는 일확천금의 꿈을 포기하고 땀 흘려 돈을 벌 것을 강조합니다. 그 점을 명확히 하기 위해서라도 회사의 이름에 실업(實業)이라는 단어를 넣은 것이지요."

다시 말해 '기본에 철저히 하라, 허업(虛業)에는 손을 대지 말라'는 말로, 이것은 곧 장자적 경영방식의 진수라 할 수 있다. 이어서 쉬원룽은 다음과 같이 말했다.

"당초에는 족벌체제의 가족기업이라서 주요 간부직은 거의가 친

척들 차지였습니다. 그렇게 6, 7년이 지난 후, 나는 회사의 발전을 위해 경영과 소유를 완전히 분리시켜 철저한 능력 위주로 사장 및 임원을 외부에서 고용하기로 했습니다."

나는 놀라지 않을 수 없었다. 지금이야 '사외중역제도'가 보편화 되었다지만, 당시로써는 미국에서나 실시함직한 제도를 쉬원룽은 과감히 단행한 것이다.

나아가 쉬원룽은 '사원지주제도'를 확충했다. 돈이 없는 종업원 들에게는 무이자로 대출을 해주면서까지 '사원지주제도'의 확립에 힘쓴 결과, 지금 이 회사 종업원의 주식 보유비율은 20퍼센트가 넘 는다. 쉬원룽은 이 비율을 장차 30퍼센트로 늘릴 계획이라고 한다. 그의 저서 「대만의 역사」에는 그의 이러한 지론을 고스란히 대변해 주는 대목이 나온다.

"종업원의 주식보유비율이 30퍼센트대로 되기만 한다면 노사간 의 이해관계가 어느 정도 일치된다고 봅니다. 이것이 바로 고토 신페이의 사고방식과 일치하는 것이기도 하지요. 지금 내가 바라 는 바는 종업원들이 정년퇴직한 시점에서 받을 수 있는 일인당 배 당이 급료 수준 정도가 되는 것입니다. 그렇게 되면 종업원들도 평생 회사를 위해 몸 받쳐 일한 데 대한 보람을 느낄 수 있지 않을 까요?"

나는 쉬원룽의 얘기를 들으면서 몇 달 전에 인터뷰를 했던 차오 싱청(曹興誠) 회장과의 대화를 문득 떠올렸다. 차오(曹) 회장은 대만 최대의 IC제조업체인 UMC(聯華電自) 그룹의 총수이다.

'롄뎬(連電)' '롄청(連誠)' '롄뤼(連瑞)' '롄자(連嘉)' '허타이(合泰)' '롄

르(連日)'의 6개의 기업으로 이루어진 UMC 그룹은 그중 3사가 주식시장에 상장되어 있다. 특히 렌르(連日)는 일본의 신닛테츠(新日鐵) 반도체 자회사를 매수하여 미국의 『비즈니스위크』지가 특집보도를 하는 바람에 한때 각광을 받기도 했다.

기업 그룹의 총수로서는 아직 젊은 나이라 할 수 있는 58세의 차오(曹) 회장은 얼핏 보기에도 일밖에 모르는 전형적인 사업가 스타일이었다. 그는 입을 열자마자 "미국 매스컴들은 나를 도박꾼이라고 떠들어대지만 사실 나의 경영 스타일은 오히려 보수적인 편이지요."라며 웃었다. 같은 시기에 도쿄 점두시장에서 천정부지로 치솟은 '야후(Yahoo)'의 주식폭등의 그늘에 가려 빛을 보지 못했지만, 당시 '니혼펀드리(日本ファンドリ, 구명 신닛데츠 세미콘닥터)'의 주가는 4만 8,000엔에서 80만 4,000엔으로 17배의 급등세를 보였다.

그런데 차오(曹) 회장과의 인터뷰 중에 매우 흥미를 끈 대목이 있다. 사원이 특정가격으로 주식을 보유할 수 있는 스톡옵션제도의 도입으로 인해 졸지에 부를 거머쥐게 된 사원들이 속출했다는 것이다.

"이 스톡옵션제도가 UMC 그룹 사원들의 의욕에 불을 댕긴 셈이지요. 벤처기업의 기반을 떠받드는 에너지의 근간은 바로 이 스톡옵션제도입니다."라며 만면에 웃음을 지었다.

말이 쉽지 이러한 결단을 내리는 데에는 대단한 용기가 필요하다. 지연과 혈연을 중시하는 중국인의 경영체질을 송두리째 폭파시킬 폭약을 경영자 스스로가 장치한 격이기 때문이다. 이러한 신속한 결단은 관료주의의 타성에 젖은 일본 대기업의 '샐러리맨사장'은 도저히 흉내조차 낼 수 없는 위대한 용단이라 할 수 있다.

액정 패널 분야에도 대대적으로 진출하다

쉬원룽의 책상 위에 근사한 신형 브라운관이 놓여 있기에 무엇이
냐고 물어보았더니 액정 패널이라고 했다. 쉬(許)는 일본의 후지쓰
(富士通)와 기술 제휴하여 컴퓨터의 기간부품인 TFT(Thin Film
Transistor, 박막트랜지스터)형 LCD(Liquid Crystal Display, 액정디스플레이)
분야에 참여했다. 2005년에는 액정장치사업을 세계적인 규모로 키
우고 싶다며 의욕에 넘쳐 있었다.

계열사인 '치메이전자(奇美電子)'는 1998년 대대적인 투자를 하여
액정사업을 위한 공장 건설에 착수해 이미 제2공장까지 완성했고
제3공장도 착공 중에 있다. 그런데 시장의 규모나 사업의 성장률로
보아 이 이상의 생산능력을 증강시킬 필요가 있다고 한다. 따라서
매년 한 공장씩 늘려 나가 제5공장까지 건설할 계획을 갖고 있는데,
그 투자비용은 기존설비의 이익으로 충분히 충당할 수 있다고 한
다. 부지도 아예 제5공장까지 건설할 수 있는 공간을 확보해 두었
다고 한다.

이렇게 순풍에 돛 단 듯이 호조를 보이고 있던 치메이실업의 앞
길에 느닷없이 먹구름이 드리워졌다.

중국국무원 대만변공실(中國國務院臺灣弁公室)은 장쑤성(江蘇省)
전장(鎮江) 시내에 있는 치메이실업 그룹의 석유화학제품공장에 대

해 가동정지명령을 내렸다. 중국정부는 '대만중립파'로 판단된 이 회사에 정치적 압력을 가해 대륙에서의 사업 활동에 규제를 강화함으로써 완전히 추방시키려는 속셈을 갖고 있었던 것이다. 중국국무원 대만변공실의 리빙차이(李炳才) 부주임은 "우리 정부는 중국 내에서 버젓이 수익활동을 하고 있으면서 한편으로는 대만의 독립을 지지하는 기업을 결코 용납할 수 없다."며 날카로운 경고의 메시지를 보냈다.

당시 중국정부는 "천수이벤(陳水扁) 총통후보가 대만 독립색이 짙다."며 비난의 강도를 드높이고 있던 차였다. 중국정부는 이와 더불어 천(陳) 후보를 지지하고 나섰던 창룽항공(長榮航空), 에사(ㅈ-ㅏ-) 그룹과 같은 대만 대기업 총수들의 발언을 어떻게든 봉쇄하려고 혈안이 되어 있었다. 이어 창잉(長榮) 그룹과 에사(ㅈ-ㅏ-) 그룹은 되도록 발언을 자제하며 몸을 사리고 있었다. 과연 쉬원룽은 이 정치적 위기를 어떻게 극복할 것인가? 다음에 내놓을 그의 묘수가 주목된다.

6

조지 소로스의 빛과 그림자

조지 소로스

세계를 뒤흔든 헤지펀드 - 조지 소로스는 "국제화와 자본주의는 서로 상반된 개념이 아니며, 국제자본은 세계의 경제를 돌고 돈다."는 말을 입버릇처럼 강조했다.

세계 제일의 투자가 조지 소로스의 전설

1980년대 후반까지만 해도 조지 소로스(George Soros)라는 이름을 알고 있는 사람은 프로 투자가들뿐이었다. 특히 일본에서는 그의 이름을 거의 모르다시피 했다. 1992년 그는 영국의 파운드화에 대한 대반란을 일으켜 졸지에 세계 매스컴의 총아가 되었다. 유럽의 각 신문들은 "헝가리에서 건너온 한 유태인에게 세계의 시장이 놀아났다."며 그를 매도했다.

그때 당시 도대체 무슨 일이 일어났는지 우선 소로스의 투자과정을 대략 살펴보기로 하자. 1992년 9월, 소로스가 대량의 파운드화를 팔아넘기는 바람에 유럽의 통화시장에는 엄청난 파문이 일어났다. 급기야는 영국과 이탈리아를 '유럽통화제도(EMS, European Monetary System)'에서 탈퇴시킴으로써 영국의 중앙은행을 굴복시키기에 이르렀다. 이미 오래 전부터 영국의 파운드는 더욱 하락할 거라 예측, 공언하였던 소로스는 그 이론의 정당함을 몸소 증명해 보이기 위해서라도 대량의 파운드 공매(空賣)[29]에 나섰다. 파운드는 눈 깜짝할 사이에 폭락했으며 소로스는 하룻밤 사이에 20억 달러 가까이 벌어들임으로써 국제금융계를 뒤흔들었다. 『타임』지는 '현대판 로빈훗인가 아니면 도둑남작인가'라는 제목으로 떠오르는 샛별 조지 소로스에 대한 특집기사를 다루었다.

1993년은 소로스가 가장 눈부신 활약을 했던 한 해가 아니었나 싶다. 1온스당 금의 시세가 평균 345달러였을 때 소로스는 천문학적 자금을 투자해 금을 사들였다. 그 뒤 1온스당 385달러로 금의 시세가 순식간에 등귀현상을 보이자, 그는 마치 때를 기다렸다는 듯 보유하고 있던 금을 전량 매각했다. 이때는 특히 골드스미스와 공조를 이루고 있던 탓에 대단한 화제를 모았는데, 소로스는 이외의 금 거래에서도 수억 달러를 벌어들였다.

그 다음으로 소로스가 노린 대상은 일본이었다. 당시의 '엔고(円高)'는 소로스가 조작한 것이라는 소문이 시장관계자들 사이에서 무성하게 흘러나왔다. 1달러에 100엔 나가던 엔 시세가 천정부지로 치솟아 1달러에 79엔까지 오르는 등귀현상을 보였다. 아쉽게도 그

---

29) 공매(空賣): 거래소 등에서 현물을 가지지 않은 채 차익을 노려 거래하는 일.

때 당시 소로스가 얼마나 벌어들였는지에 대해서는 자세히 밝혀지지 않았다.

뭐니 뭐니 해도 최대의 관심을 모은 것은 역시 독일의 마르크화에 대한 도전이었다. 1993년 7월, 이번에는 세계 제일의 강적인 독일의 중앙은행 분데스방크(Bundesbank)를 상대로 소로스는 도전장을 던졌다.

통화가 통합된 지 2년이 지났을 무렵인 당시의 독일에서는 '독일 마르크의 폭락설'이 시장관계자들 사이에서 조심스레 떠돌고 있었다. 당시 대부분의 경제전문가들은 마르크의 건재함을 주장했다. 하지만 나는 그와는 반대의 입장이었다.

1990년, 역사적인 동서독일의 통화가 통합되었다. 그때 당시 나는 당장에 필요 없다는 사실을 뻔히 알면서도 일부러 동독의 비자를 취득해 동베를린을 통해 입국했다. 서독에 흡수되는 동독 전야의 표정을 꼭 보고 싶었기 때문이다. 그날 밤은 마치 축제의 전야제처럼 술렁거렸다. 그도 그럴 것이 지금까지는 휴지조각이나 다름없었던 동독 마르크가 그 다음 날부터는 세계 최강의 통화 중 하나인 서독 마르크와 등가교환(等價交換)되기 때문이었다.(등가교환은 1인당 4,000마르크까지 한정되었다.) 나는 동독의 방문을 통해 '투자가들에게 현장은 시장을 말한다'는 사실을 절실히 깨달았다.

당시 독일의 콜(Helmut Kohl) 정권은 동서독일의 통일에 즈음에 다음과 같은 공약을 내걸어 사실상의 동독 구제를 선언했다.

첫째, 동독에서 철수하는 연합군의 철수비용을 서독이 전액 부담한다. 둘째, 러시아로부터 구동독의 구제합병에 대한 승인을 받아

내기 위해 모스크바에 30억 달러의 추가원조를 실시한다. 셋째, 동독의 경제재건을 위해 수십 억 달러를 지원한다. 넷째, 동독의 마르크를 서독의 마르크와 '등가교환'한다.

콜 정권이 내건 동독 구제비용은 일본 엔화로 환산하면 10조 엔을 훨씬 웃도는 막대한 금액이었다. 그런데도 독일 통일의 축하 분위기에 휩쓸려 마르크는 금융시장에서 계속 오름세를 유지했다. 도대체 시장관계자라는 사람들은 어떤 사고방식을 갖고 일을 하는 걸까? 악재란 악재는 전부 갖춰진 그 같은 상황에서도 어째서 계속 낙천적인 예상만 하고 있는지 알다가도 모를 일이었다. 소로스가 그랬듯이 나 역시도 그러한 시장의 분위기가 도대체 납득이 가지 않아, 그 즈음에는 십여 차례가 넘게 동유럽에서 러시아를 일주하며 취재하고 다녔다. 상식적으로 생각해 봐도 마르크의 하락은 분명한 기정사실이었지만, 현지를 목격하고 난 후에 나는 그러한 확신을 완전히 굳힐 수 있었다.

그때부터 호시탐탐 기회를 노리며 기다리고 있던 소로스는 1993년부터 발 빠르게 움직이기 시작했다. 그는 선물(先物)예약으로 독일 마르크의 공매를 시작했다. 게다가 같은 해 6월의 어느 강연에서는 다음과 같이 마르크의 하락을 단언했다.

"독일의 중앙은행인 분데스방크는 인플레를 우려한 나머지 통화가치의 유지에 집착하고 있다. 애당초 불가능한 모험을 감행하고 있기 때문에 그 실패는 불을 보듯 뻔하다. 따라서 현재와 같은 마르크의 높은 수준은 계속 유지되기 힘들 것이다."

통일 직후에는 1마르크에 98엔의 높은 시세를 나타냈던 것이 소로스의 그 같은 발언이 있고 나서는 당장에 65엔 대에서 58엔 대까지 급락했다.

소로스의 투기전술

조지 소로스의 주특기는 다음과 같다.

첫째, 비정상적인 가격의 동향 및 등락폭이 격심한 널뛰기 시세에 주목한다.

둘째, 통화의 공매(空賣)를 조작한다.

셋째, 이상의 준비를 완료한 시점에서 화려한 기자회견을 열어 투자가들의 매매를 부추긴다.

넷째, 매스컴에서 한창 떠들어댈 시점에는 주식의 공매와 바닥시세조작을 동시에 병행 실시한다.

다섯째, 이렇게 해서 통화의 바닥시세로 주가침체를 유도함으로써 이중으로 벌어들인다.

한편 그는 투자전술로 다음과 같은 수법을 자주 이용한다.

첫째, 번개같이 재빠르게 행동한다.

둘째, 즉각적으로 결단을 내린다.

셋째, 전력(戰力)을 집중적으로 투입한다.

흡사 전쟁을 방불케 하는 소로스의 투기는 그야말로 시간과의 싸움이기도 하다.

미국인 펀드매니저라 하면 대부분 일류대학 출신으로 경영이론에 밝고 컴퓨터를 능수능란하게 다루며 수식에 강한 '수학박사'들이다. 주가, 거래량, 타이밍의 세 가지 요소를 기준으로 해서 모든 자료를 컴퓨터로 산출한다. 미국 유학에서 돌아온 일본의 증권엘리트 역시 그와 마찬가지다.

하지만 제 아무리 뛰어난 컴퓨터라 해도 인간의 심리만큼은 파악할 수 없다. 컴퓨터로는 경쟁자의 야심이나 전술, 차기 수법을 간파하지 못하기 때문이다. 그러나 소로스는 이러한 한계를 분명히 극복했다. 소로스는 '기(氣)'와 '심리'를 가미한 승부 운과 시시각각 들어오는 정보를 토대로 전황을 판단해 단번에 승부에 나섰다. 이런 그의 사고방식의 근간에는 '영구적 안정이나 반영구적 안녕에 대한 기대가 환상에 지나지 않는다.'는 신념이 깔려 있다.

소로스가 유태계 이민출신이라는 이유에서 한때 세계의 시장에는 '유태 음모설'(아니, 실은 사실을 무시한 공론이나 낭설)이 나돌았다. 소문의 진상은 당시 클린턴 정권 아래서 재무장관을 지냈던 루빈과 부장관인 로렌스 서머즈, 거기다 FRB(Federal Reserve Bank, 미연방준비은행)의 그린스펀 의장까지 합치면 '미국의 금융 3인방'이 모두 유태계이므로 '소로스와 한 통속'일 것이라는 데에서 나왔다. 물론 미국의 금융을 좌우하는 거물급 3인이 모두 유태계였던 것은 사실이지만, 미국은 정보공개가 선진화된 나라이며 게다가 그들은 소위 행정기관의 장(長)이 되는 인물들이다. 직업윤리관에서 보더라도 결코 그들을 소로스와 동일선상에서 취급할 수도 없고 해서도 안 된다. 아니, 오히려 미국의 금융재정당국은 조지 소로스의 투기행동을 몹시 못마땅하게 여기고 있었다. 레이건 정권시대에 안전보장담당의 보좌관대리를 맡았던 담당자는 "유태인은 심리적으로 경원시되고 있다. 설령 『타임』지가 조지 소로스를 '성(聖) 조지'라고 추앙하는 기사를 싣는다 해도 아마 대부분의 미국인들은 콧방귀도 뀌지 않을 것이다."라고 했다. 이것이 바로 미국사회를 움직이는 주류파 앵글로색슨계의 속일 수 없는 심경일 것이다.

이러한 경위로 인해 조지 소로스는 아시아에서도 유명한 존재가 되었다. 일본, 홍콩, 싱가포르에서야 당연하다고 쳐도 지금은 중국에서조차 그의 자서전이나 저작물에 관한 번역판이 서점에 즐비하게 늘어서 있다. 1997년 이후 발생한 '아시아 통화위기' 역시 조지 소로스와 그 일당이 조작한 것이다. 마하티르(Mahathir bin Mohamad) 말레이시아 수상은 조지 소로스를 '통화폭락의 주범'으로 몰아세우며 "우리가 열심히 땀 흘려 쌓아 온 부(富)를 하루아침에 가로채 갔다."고 통렬하게 비판했다. 그러나 솔직히 말해 그의 주장 가운데 절반 정도는 옳다고 보지만, 그 나머지는 자신들의 무능을 뒤로 돌린 채, 자포자기의 심경으로 찾아낸 도피처가 아닌가 하는 생각이 든다.

아시아 통화위기의 이면에서

통화위기의 여파는 아시아 전역으로 확대되어 모든 주식이 하락했다. 월가에서도 500달러 이상의 폭락을 나타냈다. 물론 애초부터 소로스가 '세계적인 동시주가하락'이라는 비정상적인 사태로까지 빠뜨리려고 하지는 않았다. 그 경위를 좀더 상세히 살펴보기로 하자.

'아시아 통화위기'의 발단은 태국 바트화에서 비롯되었다. 1997년 5월 4일, 아시아지역 4개국의 중앙은행이 일제히 개입하고 나섰는데도 바트는 6월 하순부터 급락세로 치닫기 시작했다. 이미 조지 소로스의 투기단은 1997년 2월과 3월에 걸쳐 130억 달러의 태국 바트화에 대한 환선물거래(換先物去來)30)를 예약해 두었다. 태국중앙은행이 서둘러 100억 달러의 개입을 하고 나섰지만 그것은 밑빠진 독에 물 붓기나 다름없었다. 태국중앙은행은 같은 해 7월 2일, '달러연동제'에서 관리변동환율제31)로 이행할 것을 발표했다.

그동안 태국정부는 외화를 적극적으로 유치하기 위해 금융개방 정책을 취하는 한편 사실상의 고정환율제(1달러=25바트)의 유지에 집착해 왔다. 하지만 애초에 통화를 고정환율로 묶어 놓은 것 자체가 무리이자 모순이었다. 왜냐하면 달러연동제 하에서 한 국가에 엄청난 자금이 쏟아져 들어오게 되면 인플레 압력이 높아져

---

30) 환선물거래(換先物去來): 외국통화, 금리 능을 상대의 일성한 시섬에서 현재의 계약된 가격으로 결제할 것을 약속한 거래이다.

31) 관리변동환율제: 변동시세에 일정한도를 규정해 격심한 등락폭을 줄이면서 통화의 안정을 꾀한 시스템.

자연히 무역적자가 확대된다. 그리고 그런 식으로 도입된 외자는 투기색이 짙어 아무런 예고 없이 순식간에 빠져나갈 소지가 있으므로 경상수지는 늘 불안정할 수밖에 없다. 물론 달러 금리에도 좌우된다. 소로스 일당은 항상 컴퓨터로 세계 금리의 동향을 살피고 있다.

한편, 최고조에 달해 있던 태국의 부동산 투자도 국부적으로 거품이 일기 시작했다. 건물이 우후죽순으로 난립해 곳에 따라서는 미분양된 빌딩이 방콕 수도권에 줄을 지었으며, 주택의 공급과잉은 파이낸스회사의 경영을 압박해 왔다. 지나치게 경솔하거나 속셈을 감춘 투기꾼의 의도적인 발언이 아니고서야 이 같은 부자연스러운 경제 환경이 영구적으로 계속된다는 예측에는 문제가 있다고 본다. 초보자의 눈에도 그 모순이 훤히 내다보였기 때문이다.

소로스는 자유 시장에서의 이론치와 실세의 괴리를 간파해 통화대란을 일으키기를 밥 먹듯이 해왔다. 태국 바트 폭락의 연쇄반응으로 1997년 7월 초순에는 필리핀 페소가 15.2퍼센트 하락하였으며, 말레이시아 링기트가 15.1퍼센트, 인도네시아 루피아가 22.1퍼센트 하락했다. 아시아 통화위기는 꼬리에 꼬리를 물고 아시아 전역의 주식폭락을 야기했다. 아시아 각국이 채 준비도 안 된 상태에서 금융 및 통화의 자유화를 서두른 것은 분명 시기상조였다. 어찌 되었든 금융자유화와 국제화의 수용이란 사전에 이러한 사태까지도 상정해 두어야 한다는 교훈을 투자가들에게 새삼 일깨워 준 사건이 되었다. 특히 피해당사국의 방심은 악질적인 투기꾼들로 하여금 비집고 들어갈 여지를 제공해 주었다. 아직 덜 성숙한

아시아의 금융시장이 자국의 경제성장률만을 믿고서 주요 경제지표를 과대평가한 나머지 서둘러 자유화의 고지로 발길을 내딛었다. 그 점이 바로 투기꾼들의 표적이 되었던 것이다.(이 점에서 보면 투기꾼들이 눈독을 들이고 있는 차기 표적은 거품경제와 실태의 괴리가 극명하게 나타나고 있는 중국이 아닐까 싶다.)

사실 상황이 가장 심각했던 나라는 태국이 아니라 인도네시아였다. 솔직히 말해 인도네시아의 통화위기는 수하르토 전 대통령 일가가 화교와 손을 잡고 대대적으로 펼친 '국민차' 캠페인의 실패와 직결된다. 그러나 군사력도 비교적 강하며 풍부한 천연자원과 인구 2억이 넘는 동남아시아의 대국 인도네시아를 말레이시아나 태국과 똑같은 수준에서 논하는 데에는 다소 무리가 있다. 미국은 자국의 세계전략과 연관 지어 인도네시아의 전략적 중요성에 중대한 관심을 기울여 왔다. 그러나 인도네시아는 폭동이 확산되어 정국이 불안해진 나머지 마침내 수하르토 정권은 붕괴됐다. 이것은 천하의 소로스조차 예상치 못했던 최악의 사태였다.

'경제의 우등생' 대만도 습격을 당했다

동남아시아의 통화위기는 가을에 접어들어서도 진정의 기미를 보이지 않았다. 급기야 1997년 10월 중순에는 '경제의 우등생'이라는 평가를 받아오던 대만에까지 불똥이 튀었다. 대만은 가장 먼저 통화(신대만 달러)에 타격을 입었다. 당시 지극히 양호한 상태를 보이던 대만 경제의 통화정책은 변동환율제가 아니라 준(準)변동환율제를 취하고 있었는데, 1달러당 27달러(대만달러)였던 환율이 통화위기로 인해 1달러당 31달러로 15퍼센트까지 하락했다.

통화의 폭락에 뒤이어 주가폭락이 조작되었다. 대만의 주식시장은 의외로 활발하고 규모도 크기 때문에 그 수법이 아주 복잡했다. 우선 싱가포르에서 거래되고 있는 대만플라스틱의 주식이 소로스 측에 의해 대량 공매되었다. 한 주당 60달러(대만달러)였던 주식을 50달러로 팔아 넘겼으니 대만 주식시장의 전체 지표가 단번에 내려가는 것은 시간문제였다. 그 다음으로는 아시아 최대의 시장이라 불리던 홍콩주식이 폭락하기에 이른다. 당시 홍콩의 주식대란에 가려져 눈에 띄진 않았지만, 한국의 주식도 그 사이에 계속 내림세를 보였다. 한보, 기아, 진로 등 7개 재벌 그룹의 도산에 이어 한국통화인 원화의 시세가 하락해 경제가 말이 아니었다.

이렇게 해서 마구 벌어들인 소로스의 헤지펀드 일당은 다시 홍콩달러를 노리기 시작했다. 이번에는 순서가 역전되어 통화폭락이 아닌 주가폭락을 먼저 노렸다. 거기에는 그만한 이유가 있었다. 홍콩달러는 특이한 속성상, 아시아지역에서는 어디에서나 통용되지만 그 실태는 '식민지통화'에 불과하다. 따라서 주권국가의 통화로 간주되지 않을뿐더러 국제사회에서도 경화(세계 주요국에서 교환할 수 있는 신용이 높은 통화-역주) 취급을 받지 못한다. 하지만 화교의 송금이나 대륙과의 거래를 위한 지하은행의 수요가 많아 홍콩 내에서는 독특한 강세를 과시하고 있다. 이미 1983년에 폭락한 경험이 있는 홍콩달러는 그 후 IMF가 승인한 '고정환율제'(1달러=7.8홍콩달러)를 취해 왔기 때문에 웬만한 투기세력으로는 가격이 쉽게 무너지지 않는다. 그렇다면 소로스는 주식 폭락을 조작해 홍콩 당국 스스로가 통화범위를 하락시키는 방향으로 몰고 가는 편이 유효하다고 판단했는지 모른다.

소로스의 최종 표적은 홍콩이었다

소로스는 싱가포르 주식시장에 상장된 홍콩주식을 공매하는 등 닥치는 대로 투기전술을 구사했다. 사정이 이렇다 보니, 국제적으로도 각광을 받고 선전효과도 뛰어난 기업 활동, 즉 세계의 복수시장에 동시상장을 이룬 기업의 노력이 대형 헤지펀드로 인해 종종 허사로 돌아가는 일이 발생했다. 홍콩에서는 주식 폭락에 이어 부동산까지 곤두박질치기 시작했다. 제조업 분야가 적은 홍콩의 주식시장은 금융과 서비스, 부동산의 3대 산업으로 성립되어 있다고 해도 과언이 아니다. 그중 홍콩의 부동산가격 폭등세를 그늘에서 떠받들고 있는 것은 다름 아닌 중국의 지하자금이었다. 1997년 7월의 홍콩반환에 막연한 불안감을 느낀 화교들이 대부분의 자금을 외국으로 빼돌리고 있던 차에 그 여백을 중국이 메워주는 아이러니컬한 투자양상이 생겨났다. 지하자금의 대부분은 태자당(太子黨)에서 흘러 들어온 검은 돈이었다.

그러나 중국의 지하자금만으로 부동산 하락세를 막기에는 역부족이었던 듯, 홍콩의 부동산가격은 마침내 12∼15퍼센트나 하락했다. 홍콩의 주식시장에서는 블루칩(우량주)에 빗대어 중국 공산당계의 국유기업 주식을 '레드칩'이라고 하는데, 홍콩 반환 전에 한창 불이 붙었던 레드칩의 이익률은 한결같이 90(유럽의 한 주당 표준 이익률은 보통 17~20이다-역주)이었으니 실로 터무니없는 등세였다.

불과 수년 전 레드칩 판매 당일에는 많은 중국인들이 증권회사 문전에서 밤새 장사진을 이뤘다. 마치 프로야구나 월드컵결승 때의 열기를 방불케 했다. 선전(深圳)의 증권거래소에서는 주식 발매 전후부터 한꺼번에 50만의 인파가 몰려들어 난투소동까지 벌어졌다. 어디서 들었는지 돈이 벌린다는 소문만 들었다 하면 갑자기 벌떼처럼 달려들어 소동으로 번지는 경우가 중국에서는 비일비재하다.

1997년 7월 1일의 반환식전 이전부터 홍콩반환의 기대감에 상승된 주식시세로 시장은 술렁거렸다. 그러나 그때 당시 외자의 대부분은 이미 홍콩주식을 팔아 치우고 빠져나간 상태였다. 그러한 가운데 중국정부는 중국 텔레콤주식을 대대적으로 선전하며 매매에 나섰다. 주가가 떨어지면 당국의 체면이 말이 아니라고 생각했는지 4개 은행으로 하여금 주가의 하락방지조치를 취하도록 지시를 내렸다. 시장관계자들 사이에서는 중국정부가 비밀리에 소로스펀드 간부와 물밑접촉을 하기 시작했다는 관측조차 흘러나왔다. 방문 목적은 알 수 없지만, 실제로 조지 소로스 계열의 펀드 간부는 은밀히 베이징에 머물고 있었다.

소로스는 규제가 거의 없는 완전한 자유민주주의 시장을 주장한 경제학자 칼 포퍼(Karl Riamund Popper)의 영향을 강하게 받았다. 그러한 소로스가 인권탄압과 인권무시의 전체주의국가 중국과 타협한다는 당시의 소문은 사실 믿기 어려웠다.

다음 해 1998년, 엄청난 사건이 국제금융계에 또다시 발생했다. 러시아에 투자하고 있던 미국의 대기업 LTCM(Long Term Capital Management)이 갑자기 도산한 것이다. LTCM의 창설자 존 메리웨더(J. Meriwether)는 '미국의 가장 위대한 펀드매니저'로 알려져 있다. 그는 유태인이 아닌 시카고 태생의 아일랜드인으로 시카고대학교(University of Chicago)에서 MBA를 취득했다. 이 학교는 금융이론의 최첨단 학문을 이끄는 학자들을 다수 배출한 곳으로도 유명하다. 당시 살로먼 브라더스증권의 부사장으로 있던 메리웨더는 1991년 미국채 입찰을 둘러싼 부정사건으로 퇴사했다. 그 뒤 곧바로 코네티컷 주로 건너간 메리웨더는 노벨상 수상자인 데이브 무린과 마이런 숄즈 및 로버트 머튼을 끌어들여 LTCM을 창설했다.

회사의 문을 연 1994년에는 10개월 동안에 28.49퍼센트, 1995년에는 42.8퍼센트, 1996년에는 40.8퍼센트의 실적을 거두었다. 이는 조지 소로스를 능가하는 대성공이었다. 개인투자가라도 한 구좌당 예치금액이 최저 1,000달러에 달했으며, 주고객은 골드먼삭스, JP모건, 체이스와 같은 대기업이 대부분이었다. 메리웨더의 능란한 사업수완 덕분에 스위스 최대의 UBS(Union Bank of Switzerland), 메릴린치 등은 2,000억 달러나 예탁하기도 했다.

LTCM의 운용프로그램은 노벨 경제학상을 수상한 마이런 숄즈(Myron Scholes)와 로버트 머튼(Robert C. Merton) 두 사람이 담당했다. 그 내용은 독일 국채와 이탈리아 국채의 금리격차, 미국 30년채(債)

와 10년채(債)의 금리격차를 프로그램화하여 자동매매 소프트를 편성한 것이다.

컴퓨터 한 대를 앞에 두고 눈에 보이지 않는 상대와 벌이는 온라인 거래의 위력은 실로 대단하다. 숫자 하나라도 잘못 입력하면 엄청난 파문을 불러일으키기도 한다. 바로 얼마 전에도 일본에서 '61만주를 450엔'에 사겠다는 사자주문을 '16만 엔에 450만주'를 사겠다는 주문으로 잘못 입력하는 바람에 순식간에 수백억 엔을 날린 외자계 증권회사가 있었다. 컴퓨터 오류로 인한 금융파생상품의 거래는 최악의 결과를 초래한다.

그러나 LTCM은 1998년에 갑자기 도산했다. 도산하기 3년 전까지만 해도 LTCM은 20여 퍼센트의 눈부신 운용실적을 올렸지만, 그러한 실적도 러시아 위기의 발발로 인해 마이너스 52퍼센트까지 전락해 버렸다. 당초 20억 달러라고 발표했던 손실은 급기야 800억 달러로 불어났다.

LTCM의 프로그램에서는 다음과 같은 문제점이 불거져 나왔다.

첫째, 항상 리스크 헤지(Risk Hedge)를 거는 팔자주문에 대해 매수자가 홀연히 사라졌다. 순식간에 무너진 러시아 국채의 대폭락에는 LTCM의 프로그램이 통용되지 않았다.

둘째, 온라인 거래는 위험 분산을 위해 지역분산투자를 실시할 것을 철칙으로 하는데, '세계 동시주가하락'으로 인해 이 같은 균형 패턴이 사라졌다.

셋째, 애초에 미국과 같은 광대한 주식시장을 전제로 짜인 이 프로그램에 러시아와 같은 작은 시장은 대응하기가 어려웠다.

넷째, AI(인공지능)기술이 동시통역의 기량을 능가할 수 없듯이 거래의 감(堪)을 살리는 프로그램을 구축하지 못했다.

이 같은 문제점으로 비춰 봐도 결국 학자들이 편성한 프로그램에는 이론과 실제의 격차가 현격하다는 사실을 알 수 있다.

여하튼 사태는 너무나 심각했다. 천문학적인 액수의 계약 잔고에 클린턴 정권은 어이가 없었다. 1조 달러에 달하는 손실은 일본의 대외 순채무와 같은 액수이며 중국의 GDP를 웃도는 수치이다. 당시 플로리다 주를 덮쳐 300명의 사망자를 낸 맹렬 허리케인의 이미지에 부합시켜 미국정부는 이 사건을 'LTCM 허리케인'이라고 칭했다. 하지만 경제적 손실을 놓고 따져 보면 LTCM 허리케인의 파문은 돌풍 허리케인이 할퀴고 간 상처보다 훨씬 심각했다.

러시아 위기의 방아쇠를 당기다

러시아정부가 당분간 330억 달러에 달하는 대외채무의 지불을 유예한다는 선언을 하고 나섬에 따라 러시아 채권은 휴지조각이나 다름없게 되었다. 이는 사실상 러시아정부가 외채의 상환의지를 포기한 것이나 다름없는 것이어서 해외 투자가들의 엄청난 피해가 예상되었다. 그러한 러시아에게 고금리로 자금을 빌려주고 원금은 원금대로 고스란히 회수하는, 아니 회수할 수 있다(러시아정부는 '러시아채권'을 그와 같이 선전하며 세계에 판매했다)고 받아들인 투자가들의 판단 자체가 애초부터 잘못이었다. 그뿐 아니라 90일 동안의 외채 지불유예로 불안한 상황을 보여 오던 러시아에서 루블화와 주식의 폭락이 발생함에 따라 1998년 8월 하순에는 세계 동시주가하락 현상이 일어났다.

러시아에 거금을 빌려주었던 도이치 은행, 드레스너 은행, 체이스와 같은 최고의 은행들이 모두 휘청거렸다. 하지만 뭐니 뭐니 해도 가장 큰 타격을 받은 장본인은 세계 제일의 투자가 조지 소로스였다. 그는 공식적으로 20억 달러의 손실을 인정했다. CSFB가 5억 달러, 크레디 스위스가 2억 5,500만 달러, UBS가 1억 2,400만 달러의 손실을 냈다. 일본의 노무라(野村) 증권의 손실 역시 3억 5,000만 달러에 달했다. 주요 러시아펀드도 큰 손실을 냈다.

사실 이러한 상황은 예전부터 충분히 예상했는데도 아무런 담보도 없이 무턱대고 대여를 계속해 준 서방측 은행단의 죄과는 결코 가볍지 않다고 본다. 그런데 1998년 8월 12일자 『파이낸셜타임즈』에는 다음과 같은 반 협박조의 투서가 게재되었다.

"만일 서방측이 러시아 금융위기의 파문을 조금이라도 진정시키고자 한다면 수십 억 달러의 긴급지원이 필요하다. 그렇지 않으면 서방측 금융기관이 짊어져야 할 부담은 현재의 몇 배 이상이 될 것이다."

그 기사는 러시아경제의 몰락을 초래한 직접적인 계기가 되었는데, 투서한 사람은 다름 아닌 조지 소로스였다. 절묘한 기회에 신문 지상의 투서를 이용하여 실리를 챙기는 방식은 소로스가 심심찮게 사용하는 상투적 수단인데, 과거에도 그 같은 방식으로 수차례 승운을 거둔 바 있다. 그러나 그 유명한 소로스도 이번만큼은 보기 좋게 완패를 당하고 말았다. 결국 제 손으로 무덤을 판 격이 된 셈이다.

노병은 단지 사라질 뿐

조지 소로스의 명성을 세계적으로 떨치게 한 것은 바로 '퀀텀펀드'였다. 헤지펀드의 대표격이라 불리는 퀀텀펀드의 주고객은 유럽의 귀족이나 아랍 왕족과 같은 특정부유층 혹은 로스차일드와 같은 기관투자가들이었다. 금융파생상품거래나 공매와 같은 교묘하고 선진적인 수법을 구사하는 퀀텀펀드는 투자가들로부터 모은 천문학적 투기자금을 주식이나 채권, 외환시장에서 운용해 고수익을 노렸다. 그 무렵 일본 각지에서 강연을 하던 나는 투자가들로부터 '그 정도의 고수익이 정말 보장된다면 나도 한몫 끼고 싶다, 꼭 좀 소개해 달라'는 의뢰를 종종 받곤 했다. 하지만 "투자를 하려면 한 구좌당 최저 단위가 3억 엔 이상은 되어야 한다."고 일러주면 더 이상 의뢰하는 사람은 없었다.

퀀텀펀드는 매년 평균 24퍼센트의 수익률을 올렸다. 다시 말해 10억 엔을 예탁한 사람은 1년 후면 12억 4,000만 엔을 손에 쥘 수 있게 되는 셈이었다. 이무튼 소로스가 주창한 '국제자본주의'라는 신개념은 거품경제시대의 국제시장에 상당한 영향을 미쳤다. 그의 저서는 영어에서 일본어, 독일어, 프랑스어는 물론 중국어로도 번역되어 세계 각지에서 널리 읽혔다.(나는 대만판, 홍콩판, 대륙판 3종류와 중국어 번역본까지 갖고 있다.)

소로스는 "국제화와 자본주의는 서로 상반된 개념이 아니며 국제자본은 세계의 경제를 돌고 돈다."는 말을 입버릇처럼 늘 강조했다. 그의 이러한 사고방식은 칼 포퍼의 저서 『열린사회와 그 적들』 안에 적힌 경제철학에서 많은 영향을 받았다고 한다. 열린사회를 갈구하는 소로스의 이 같은 사고방식은 무엇보다도 냉전시대의 '닫힌 사회'의 본질에 대한 끝없는 절망에서 기인한 것이라고 생각한다. 그 자신이 헝가리에서 미국으로 도망쳐 온 망명자의 신분으로 브로커의 심부름을 해가며 돈을 모아 재산을 형성한 경위가 있기 때문이다.

소로스는 이완된 자유주의사회에서의 윤리의 저하 및 사기의 상실에 대해 다음과 같이 경고했다.

"전체주의적 폐쇄성에서 오는 압력뿐 아니라 사회적 결속의 결여와 정부의 부재에 의한 위협 역시 자유사회를 위태롭게 하는 요인이 된다. 자본주의사회를 와해시킨 원흉은 바로 자본주의의 내부에 있다."

요컨대 그의 말은 '도덕적 불감증에 빠져 해이해진(일본과 같은) 국가만큼 투기꾼들이 탐을 내는 표적이 없다'는 얘기다. 그러나 '사회적 결속의 결여와 정부의 부재에 의한 위협'은 어느 체제에서나 있을 수 있으며 '자본주의의 위협'이라고 단언할 수는 없다고 본다.

한때 '국경 없는 경제'라는 유행어가 한창 나돈 적이 있는데, 사실이 말이야말로 헤지펀드사에 꼭 들어맞는 자의적인 해석이라고 생각한다. 실상 국제화의 실태를 파헤쳐 보면 '미국의 규정으로 세계 시장을 다스린다'는 것 외에 그 무엇도 아니기 때문이다. WTO체제 아래서의 자유무역과 같이, 돈과 사람이 물건과 마찬가지로 취급되어 간단하게 국경을 넘나드는 시대가 되었다. 이로 인해 기존의 지역적인 이해관계를 초월한 국제주의가 세계적인 시장을 변질시켜 오히려 '자본주의' 그 자체를 추락시키지는 않았을까? 아니, 바로 그렇기 때문에 더더욱 세계적인 규제가 필요하다며, 소로스는 최근의 저서나 강연에서 주장했다.

2001년 9월 11일 미국을 덮친 동시다발테러의 여파로 뉴욕의 주식시장이 대폭락한데 이어 유럽과 아시아의 주요 주식시장의 주가도 폭락했다. 이로 인해 소로스 자신은 상당한 타격, 아니 치명상을 입었다. 그 폭발적인 테러는 그 누구도 예측하지 못한 사건이었다.

2001년 12월, 소로스는 투자활동에서 물러서겠다는 공식적인 '은퇴성명'을 발표했다. 2001년 12월 9일자 『뉴욕타임즈』와의 인터뷰를 통해 앞으로는 사회봉사와 자선사업에만 전념하겠다고 밝혔다.

소로스는 헝가리와 발트3국에 대학을 설립해 기증하는 등 민주주의와 인권사상의 보급을 목적으로 한 세계 28개소의 자선사업재단을 기반으로 지금까지 세계적 규모의 사회활동을 수없이 전개해 왔다. 이미 다른 사람의 손에 넘어간 퀀텀펀드를 제외한 소로스 펀드 매니지먼트는 자산규모를 절정기의 절반인 110억 달러로 급감시켰으며, 위험성이 높은 금융자산은 모두 안전한 안정자산으로 이체시켰다. 이렇게 해서 소로스의 황금시대는 막을 내렸다.

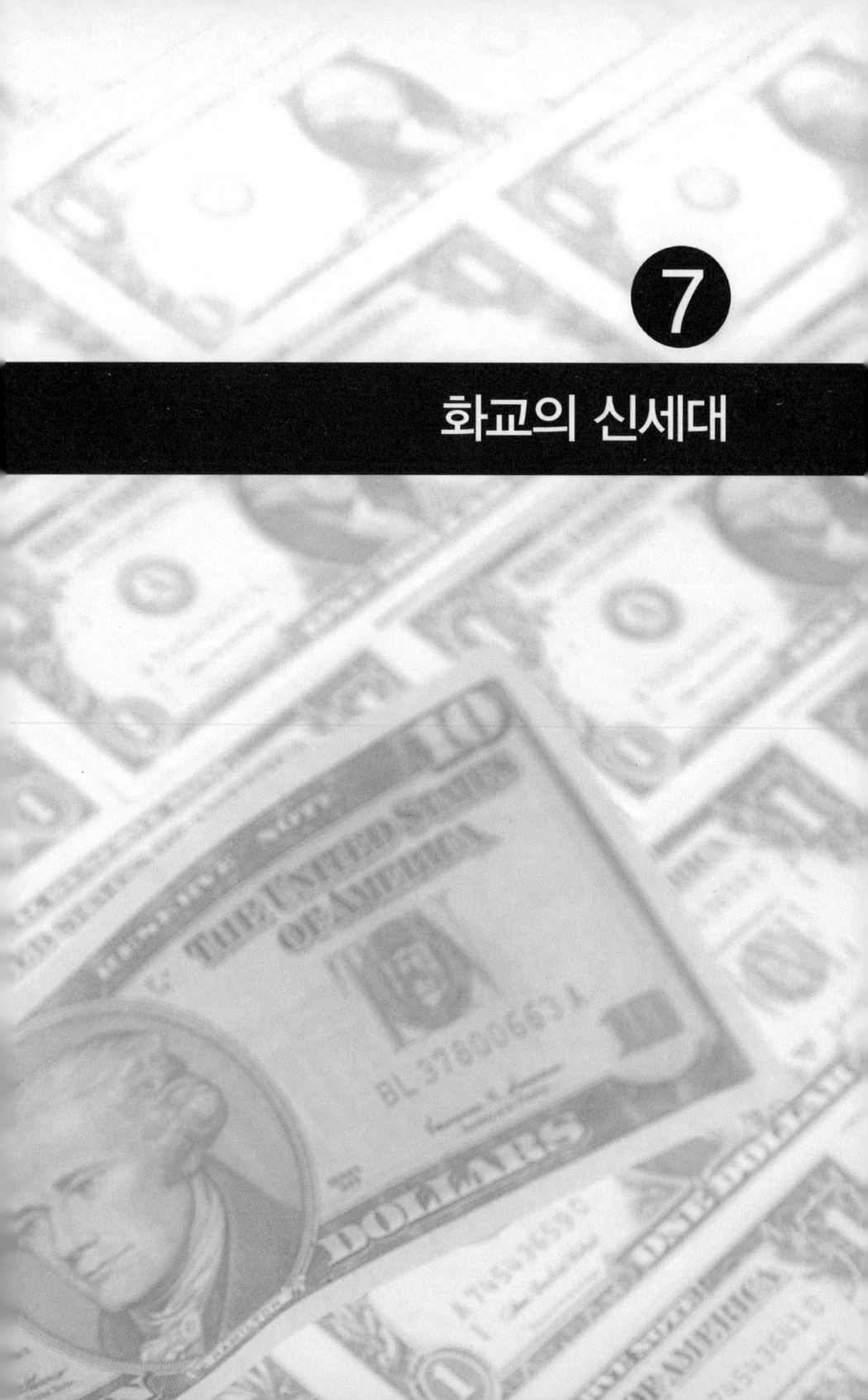

7

화교의 신세대

리자오지

부동산의 흥망 - 홍콩에 부동산 붐이 일기 시작한 시기는 중국의 문화대혁명에
절망한 많은 빈민들이 홍콩으로 건너가 영주하기를 결심한 무렵과 일치한다.
당시 부동산의 가격은 천정부지의 급등세를 보였다.

세계의 부호 순위 4위 진입

1997년, 미국의 경제전문지 『포브스』는 아시아 부호(富豪) 1위로
'핸더슨 랜드'의 리자오지(李兆基)를 선정했다. 중국 최대의 부호인
리자오지는 세계에서도 제4위로 기록되었다.

당시 홍콩은 부동산 투자가 한창 진행 중이었는데 그 기세는 가
히 폭발적이었다. 땅값이 비싸기로 유명한 일본도 비교가 안 될 정
도였으니 가히 짐작이 가고도 남을 것이다. 부동산 붐을 타고 불어
난 리자오지의 개인재산은 홍콩개발 1위를 과시하는 리카싱(李嘉
成)을 넘어 150억 달러에 달했다. 홍콩 각지에 건설한 아파트는 짓
기가 무섭게 팔려나가 쾌재를 부르던 무렵이다.

광저우 근교의 순더(順德) 출신인 리자오지는 맨몸으로도 무언가 이룰 수 있을 것 같다는 막연한 꿈을 안고 홍콩으로 건너갔다. 걸인이나 다름없던 신세에서 세계 4위의 부호로 대변신을 이룩했으니 리자오지 역시 입지전적인 인물이라 할 수 있다.

창장실업과 허치슨왐포아를 이끄는 홍콩 최대재벌 리카싱은 광둥성 부근의 차오저우(潮州) 출신이다. 리자오지와 마찬가지로 유민이었던 리카싱 역시 한 밑천 벌기 위해 홍콩으로 건너와 홍콩플라워로 성공을 거둔 후, 부동산사업에 뛰어들었다. 재미있는 것은 차오저우 거리를 걷다 보면 사진관 간판에 대부분 리카싱의 사진이 걸려 있다는 점이다.

소위 홍콩드림(香港Dream)이 소담스런 꽃을 피운 것은 1970년대였다.

그때까지만 해도 홍콩의 재벌이라 하면 단연 해운업자들이 차지했다. 일례로, 홍콩의 해운업자 바오위강(包玉剛, 일명 Y. K. Pao)은 그리스의 오나시스를 능가하는 세계최대의 선박왕으로 실업계에 군림했다.

홍콩에 부동산 붐이 일기 시작한 시기는 중국의 문화대혁명에 절망한 많은 빈민들이 홍콩으로 건너가 영주하기를 결심한 무렵과 일치한다. 당시 부동산의 가격은 천정부지의 급등세를 보였다. 그즈음 일본 및 유럽 각국의 홍콩투자로 소득이 증대된 중산층 계급이 아파트를 구입할 정도의 자산이 어느 정도 형성되있을 무렵이있다. 다행히 이러한 기운도 호재로 작용했다. 그의 동료-'신스제(新世界) 그룹'이나 '신훙지(新鴻基) 그룹' 그리고 말레이시아 화교 '로버트

궈(郭)'-들 역시 한결같이 부동산으로 성공했다.

리자오지와 리카싱은 우선 신지에(新界, 주룽반도에 있는 영국의 조차지) 지역에 눈독을 들였다. 개발이 어느 정도 진척된 홍콩섬이나 빅토리아 피크, 리펄스 베이와 달리 개발이 한참 뒤처진 이 지역의 토지를 싸게 사들여 고층아파트를 지어 분양했다. 이 외에도 홍콩 중심부에서 40분 거리에 위치한 샤틴(沙田) 단지 등 시내 전체의 아파트가 리(李) 그룹이 지은 아파트라 해도 과언이 아니다.

쾌재를 부르던 황금시대

홍콩 중심부의 아파트는 짓기가 무섭게 팔려 나갔다. 1980년에서 1990년경에는 부지를 구입해 분양안내 팸플릿을 배부하는 단계에서 100퍼센트 분양될 정도였다. 전망 좋고 주거가 편리한 도심의 아파트 같은 경우에는 1,000대 1 또는 2,000대 1의 치열한 경쟁률을 보였다. 운 좋게 당첨된 사람은 분양가격에 프리미엄을 얹어 되파는 수법의 신종 장사도 생겨났다. 어느 날인가 취재 차 홍콩에 갔을 때, 한 분양사무실 앞에 모여든 엄청난 인파를 보고서 나는 한동안 넋을 잃은 적이 있다.

1990년, 리자오지와의 독점인터뷰를 하기 위해 나는 핸더슨 랜드 본사를 방문했다.

그다지 넓지 않은 응접실에서 나를 맞아 준 리자오지는 다소 결례가 될 수도 있는 나의 질문에 눈살 하나 찌푸리지 않고 연신 웃는

낯으로 진지하고 성실하게 답변해 주었다.

'질문이 무례하다'며 공연히 트집을 잡던 홍콩의 모 실업가와는 아주 상반된, 차분한 신사의 인상을 풍겼다. 나는 자리를 뜨기 전에 "일본에는 어째서 진출하지 않느냐?"는 마지막 질문을 던졌다. 나의 질문에 대한 그의 대답은 의외로 간단했다.

"그렇게 세금이 비싸서야 어디 일본 땅에서 장사할 수 있겠습니까?"

홍콩에서는 최고 세율이라고 해봐야 16.5퍼센트이니까 일본과는 도저히 비교가 되지 않는다. 마치 경상이익 우선주의를 추구하는 나라라는 생각이 들었다.

하지만 그로부터 채 몇 년이 지나지 않아 도쿄(東京)로 진출한 핸더슨 랜드는 놀랍게도 도쿄 주식시장에 주식상장의 꿈을 이루었다.(그 뒤로는 일본 주식시장에 상장했지만 별 재미를 보지 못해 결국 철수했다.) 아마 홍콩 반환 전에 거세게 일기 시작한 '국제화'의 물결에 뒤쳐지지 않으려는 초조함이 강하게 작용했다고 본다. 하지만 눈감으면 코 베어 가는 이 치열한 경쟁사회에서 리자오지와 같은 '성실 일변도'의 자세만으로는 역경을 헤쳐 나가기가 힘든 것도 사실이다.

아니나 다를까? 핸더슨 랜드는 홍콩 반환 후, 심각한 부동산 불황으로 인해 곤경에 직면하게 되었다. 홍콩의 증권분석가들은 핸더슨 랜드의 경상이익이 2년 연속 적자를 면치 못하는 주된 요인은 '다각화경영'에 뒤쳐졌기 때문이라고 지적했다. 하지만 중요한 것은 2002년 2월 현재 홍콩의 신세대 가운데 24만 명이 선전(深圳)과 광저우 일대에 아파트나 오피스텔을 구입해 홍콩으로 출퇴근을 하고 있다는 점이다. 바로 이 변화가 홍콩 시내의 아파트 가격을 하락하게 만들었다.

핸더슨 랜드의 다각화전략은 가스회사를 제외하고는 모두 실패로 돌아갔다. 페리 회사는 늘 적자에 허덕였으며 인터넷 판매회사는 애초부터 판매부진으로 실패했다.(이 점은 의류업체 요르단으로 성공한 『애플데일리(Apple Daily)』의 지미 라이가 인터넷 판매사업으로 실패한 경우와 그 처지가 같다.) 회사의 주가가 한창 절정기의 시세에서 3분의 1까지 급락하는 바람에 리(李)의 개인자산도 형편없이 줄어들었다. 그러나 『파이스턴이코노믹리뷰』(2001년 11월 15일호)에 실린 솔로몬 스미스바니의 한 증권전문가의 분석에 따르면 리(李) 그룹의 자산가치와 차입금(15억 달러)을 감안한다고 해도 현재의 주가는 40퍼센트 정도 과소평가되어 있다. 나는 이 분석을 듣는 순간 리자오지의 성실한 답변 자세를 떠올렸다. 모르긴 몰라도 그토록 성실한 성품으로는 투자가들을 구슬려 주가를 조작할 만한 사람은 못 되지 않을까 싶은 생각이 들었다. 홍콩의 부동산시장은 지금 분기점에 와 있다. 그리고 개인적으로 나는 홍콩의 부동산 가격이 아직도 하락할 여지가 남아 있다고 본다.

지미 라이

홍콩의 신세대 - 홍콩의 미디어 가운데 유독 『애플데일리』만이 중국정부의 눈치를 살피지 않고 직설적이고 과감한 비판을 전개해 왔다. 이 때문에 『애플데일리』는 홍콩 젊은이들의 우상이자 식민지 홍콩의 대변자로 여겨져 왔다.

리펑(李鵬)의 IQ는 거북이알 수준이라고 비판하다

지미 라이(黎智英, 리즈잉)라 하면 알 만한 사람은 다 아는 홍콩 『애플데일리』의 발행인이자 주간지 『넥스트』의 창간자이다. 1948년 광저우에서 태어난 지미는 12살의 어린 나이에 작은 보트 하나에 몸을 싣고 홍콩으로 도망쳤다. 그는 가난과 싸워가며 독학으로 영어를 익혔고, 맨 처음 손을 댄 장사는 중국대륙으로 초콜릿을 수출하는 사업이었다. 그 후 낮에는 장갑공장에서 일해 가며 밤에는 독학으로 자유시장의 경제학을 설파한 하이에크(Hayek Friedrich August von)의 가르침을 익혔다고 한다. 지미는 그의 가르침에서 자유, 민주, 평등, 법치의 존귀함을 깨달았다고 했다.

그 뒤 요르단이라는 새롭고 참신한 브랜드를 내걸고 패션계에 등장한 지미는 순식간에 동남아시아에 체인점을 개설해 상당한 수익을 올렸다. 일본의 몇몇 여배우들도 이 브랜드를 선호했기 때문에 일본의 잡지에서도 특집으로 다룬 적이 있다.

지미가 톈안먼사건 직후에 리펑(李鵬)을 '아무 쓸모없는 거북이알'이라고 비판했을 때 홍콩 시민들은 일제히 갈채를 보냈다. 그러자 홍콩에서는 이에 발끈한 중국정부가 지미 소유의 의류전문점인 요르단을 방화하도록 사주했다는 소문이 끊이지 않았다. 그 이후 지미는 당시 200개 점포에 가깝던 의류체인점을 매각하고 오로지 신문사 경영에만 전념했다. 마침 톈안먼사건 직후이기도 해서 세계의 매스컴들은 온통 그의 용기에 격찬을 보냈다.

홍콩의 미디어 가운데 유독 『애플데일리』만이 중국정부의 눈치를 살피지 않고 직설적이고 과감한 비판을 전개해 왔다. 이 때문에 지미 라이의 『애플데일리』는 홍콩 젊은이들의 우상이자 식민지 홍콩의 대변자로 여겨져 왔다. 게다가 『애플데일리』는 홍콩의 신문 가운데 가격이 가장 저렴했다. 『애플데일리』의 계속되는 비판에 중국 공산당은 발끈 달아올랐지만 그렇다고 해서 당장에 발행금지처분을 내릴 수도 없는 입장이었다. 그래서 궁여지책 끝에 내린 결론은 『애플데일리』에 광고를 내지 말도록 홍콩의 각 기업에 무언의 압력을 가하는 것이었다. 한편 유서 깊은 『사우스차이나모닝포스트』는 리카싱에게 매수되고 말았다. 그 후에 다시 루퍼트 머독에게 전매되는가 싶더니 또다시 어느 화교재벌에게 전매되어 결국 한때 격렬했던 중국비판의 색채는 훨씬 줄어들었다. 하지만 지

미는 홍콩 반환 후에도 조금도 굽히는 기색 없이 중국정부와 맞서
싸웠다.

또 지미는 수익이 제법 괜찮았던 의류체인점을 매각하여 1억
8,700만 달러를 손에 쥐더니 때마침 오름세를 보이던 월가에 전액
을 투자했다. 2000년에 이 자금을 기반으로 해서 E비즈니스에 진출
한 지미는 아마존(Amazon), 야후(Yahoo)에 맞서 애드마트(AdMart)라
는 회사를 설립했다. 홍콩의 맞벌이 주부를 대상으로 설립한 이 회
사는 컴퓨터로 주문을 받아 상품을 배달하는 이른바 배달 슈퍼마켓
이었다. 그리고 그의 주변 사람들은 모두 지미가 하는 일이니까 잘
될 게 틀림없다고 생각했다. 그러나 중국 공산당과의 싸움에서도
당당히 맞서 싸운 천하의 지미였지만 E비즈니스의 진출에 대한 그
의 예측은 안이했다. 당시 700만 홍콩 인구 중 컴퓨터를 소유하고
있던 사람은 100만 명뿐이었다. 엄청난 계산착오가 있었거나 아니
면 시장조사가 수박 겉핥기식으로 진행되었던 게 아닌가 싶다.

애드마트의 최대의 라이벌은 홍콩재벌 1위인 리카싱이 이끄는
허치슨왐포아였다. 영국의 자딘매디슨 그룹은 제2의 라이벌이라
할 수 있었다. 홍콩에서 소매체인점을 경영하고 있는 이들 두 회사
는 애드마트와 같은 제3의 방해꾼이 자기네 영역으로 비집고 들어
오는 것을 그냥 보아 넘길 수 없었다. 그래서 이들 두 공룡집단은
암묵리에 공조하여 그동안 『애플데일리』에 내오던 광고를 전면 중
단하기로 했다. 이로써 승부는 애드마트의 완패로 끝나고 말았다.

결국 지미는 빈털터리가 되고 말았지만 워낙 낙천적인 성격인지
라 아무 일도 없었다는 듯이 어느 새 툭툭 털고 일어서는 의연한

모습을 보여 주었다.

애드마트는 구조조정으로 종업원을 대폭 정리하고 지금은 주로 사무용 기기를 취급하고 있다. e메일로 주문을 하면 5퍼센트 할인된다고 홍보를 하고 있지만 여전히 전화주문이 40퍼센트 이상을 차지한다고 한다.

리카싱의 차남 리처드가 '케이블 앤드 와이어리스 홍콩(Cable& Wireless HongKong)'을 매수한 경위에 대해서는 앞서 소개한 바 있는데, 일이 이쯤 되고 보면 결국 홍콩에서는 무슨 사업을 해도 리(李) 일가의 돈이 흘러 들어가지 않은 곳이 없다는 얘기가 나올 만도 하다.

얼마 지나 지미는 거점을 대만으로 옮겨 다시 새로운 사업을 시작했다. 2000년 2월 15일, 대만 최대의 주간지인 『신신문(新新聞)』과 합병하여 인터넷 신문 『명명보(明明報)』를 창간한 것이다. 대만 인구 2,300만 명 가운데 557만 명이 인터넷 이용자라고 하니 지미가 이 시장을 황금알을 낳는 거위라며 잔뜩 기대에 부풀었던 것도 어찌 보면 당연한 일인지 모른다. 그런데 대대적인 인력을 스카우트해 떠들썩하게 출발한 신문사업이 기대와는 달리 광고수주가 전혀 들어오지 않는 바람에 개업한 지 1년 뒤인 2001년 2월 20일 문을 닫게 되었다.

대만은 『연합보(連合報)』『중국시보(中國時報)』『자유시보(自由時報)』『타이베이타임즈(臺北TIMES)』『중앙일보(中央日報)』등의 유력 신문사들이 서로 각축을 벌이는 대규모 뉴스시장이다. 따라서 광고업계 역시 불꽃 튀는 경쟁을 벌이기는 마찬가지였다. 외성인(外

省人)이 경영하는 『연합보』와 『중국시보』는 각기 석간신문에서 공업신문에 이르기까지 인터넷으로 전송을 하고 있다. 그런데 5, 6년 전에 『자유시보』가 여기에 뛰어들어 대대적인 성공을 거두었다. 마침 '통일파'인 장제스(蔣介石) 잔당의 주장에 식상해 있던 국민들이 색다른 논조의 일간지가 출간된 데 대해 대대적으로 환영하고 나선 것이다.

다시 말해 대만 본성인(本省人)32)이 '대만 제일주의'를 내걸고 나선데다 대만의 경우 관료, 매스컴, 군을 제외하면 본성인이 실업계를 거의 장악하고 있었기 때문에 광고의 수주도 용이했다. 지미는 이러한 심리상황까지 미처 파악하지 못했다. 게다가 여기에 한 술 더 떠 대만플라스틱 회장인 왕융칭이 영자신문 『타이베이타임즈』를 창간하면서 경쟁은 더욱 치열해졌다. 일본의 각 신문사가 구독자 유치를 위해 온갖 사은품 공세를 펼치듯이 대만에서도 전자제품을 사은품으로 제공하면서까지 구독자를 유치하는 치열한 쟁탈전이 벌어졌다. 『타이베이타임즈』 역시 인터넷상에서 무료전송을 실시하고 있는데 일본의 중국문제 전문가들도 이 미디어를 높이 평가하고 있다.

그러나 지미는 기세등등하게 같은 해 6월 1일, 신주간지 『일(壹)』의 대만판을 창간했다. 그리고 여전히 "디지털 미디어의 실패는 어디까지나 타이밍을 잘못 판단한 실수에 지나지 않는다."며 강경한

---

32) 본성인(本省人: 대만의 전인구 중 약 98%는 모두 한족(漢族)인데, 그중 청나라 무렵 대만으로 건너온 한족을 가리킴.

자세로 나왔다. 그러나 투자가들은 다음과 같이 분석했다.

"외지인이 느닷없이 대만의 매스컴 업계에 끼어들어 최선을 다한다 해도 대만 국민들의 정서에 와 닿는 정보를 전달하는 데는 아무래도 무리가 있다."

게다가 홍콩의 투자가들은 『일』의 주식을 팔아 넘겨 주가가 0.39달러(홍콩달러, 사실상의 도산이 아니면 이 정도의 가격은 나올 수가 없다)까지 폭락했다. '안티 베이징(Anti 北京)', '리펑(李鵬) 비판'이라는 모처럼 만의 상큼한 용기가 서민들의 많은 지지를 얻었는데도 타이밍을 잘못 판단한 경영진의 실수와 지나치게 강경한 승부욕으로 인해 지미는 결국 고배의 잔을 들이켜야 했다. 이것은 어디까지나 자본의 논리상의 차질에서 빚어진 결과겠지만, 아무튼 지미의 실패에 가장 고소해 할 사람은 베이징의 중국 공산당 지도자임이 틀림없다.

지미는 "나의 지나친 교만으로 인해 수비 범위도 아닌 온라인사업에 겁 없이 뛰어든 것이 결국 실패를 자초하게 되었다."며 담담한 어조로 말을 이었다.

비록 오늘은 실패했더라도 지미는 언제나 내일을 바라보고 있다. 이런 점에서 볼 때 난관에 부닥치면 금세 좌절하고 마는 젊은 경영자들은 지미의 이 같은 자세를 보고 배워야 할 것이다.

지미 라이와의 대화

홍콩에 취재 차 갔을 때, 나는 그의 본사를 방문해 인터뷰를 한 적이 있다. 안내를 받아 들어간 방안에는 머리를 짧게 깎은 점퍼차림의 남자가 앉아 있었다. 너무 젊어 보여서 혹시 비서가 아닌가 하고 착각을 했을 정도이다. 나는 자리에 앉자마자 『애플데일리』의 경영 상태에 대한 질문부터 하기 시작했다.

─들리는 소문에 의하면 중국정부로부터 갖은 협박과 방해공작이 있다던데 혹시 우려되는 부분은 없습니까?

"나는 원래가 낙천주의자입니다. 중국정부로부터 『애플데일리』에 광고를 내지 말라는 통고가 중국계 기업에 전해진 모양인데, 자유로운 상업도시 홍콩에서는 광고의 효과만 인정되면 그깟 통고 따위에는 연연하지 않을 거라 봅니다. 워낙 갑자기 신문을 발간하게 되는 바람에 실은 윤전기가 모자라서 광고 의뢰를 거절하고 있는 실정입니다."

(홍콩에서 가장 저렴한 『애플데일리』는 총 48쪽의 간추린 기사와 컬러 화보를 매력으로 내건 조간신문으로 『USA투데이』와 그 색채가 비슷하다.)

─(편집실을 바라보면서) 편집부 직원들이 상당히 많군요.

"700명입니다. 중국당국의 검열을 두려워 한 각 신문사들이 우수한 기자들을 마구 해고하는 바람에 자연히 실력 있는 기자들이 우리 회사로 모여들게 되었지요. 결국 우리 회사만 덕을 본 셈이지요."

(한때 매스컴의 제왕 루퍼드 머독이 매수한 영자지 『사우스차이나모닝포스트』는 그 뒤로 말레이시아 화교에게 경영권이 넘어간 다음부터는 중국을 비판하는 목소리가 한층 줄었다. 그에 맞서 창간된 『이스턴익스프레스』지는 독자들의 별 반응을 얻지 못해 이내 침체되었고, 꽤 인기가 있던 『명보(明報)』도 중국정부의 강한 압력에 못 이겨 방향을 선회하는 바람에 상당수의 독자들이 떠나갔다.)

—다음에는 TV네트워크라든지 컴퓨터 보도와 같은 분야에 진출할 계획입니까?

"이미 언론종합지 『넥스트』를 출판했습니다. 중국이 언론 통제를 강화하고 있어서 중국으로 반환된 이후의 홍콩에는 언론의 자유가 없어지지 않겠느냐는 우려의 목소리도 나돌고 있습니다만 저는 그렇게 생각하지 않습니다."

—공산당이 언론을 그냥 내버려둘까요?

"물론 규제가 강화되기는 하겠지요. 하지만 홍콩이건 대륙이건 간에 경제가 풍요로워지게 되면 자연히 '작은 정부'를 추구하게 되는 것이 기정사실입니다. 그러다 보면 지방자치가 점차 확대되지 않겠습니까?"

—지방자치가 점차 확대되면 중앙정부의 힘이 약화되어 '큰 정부'인 중국공산당은 자연히 구심력을 잃게 된다. 다시 말해 대중화연

방(大中華連邦)과 같은 형태로 되어간다는 말씀이신가요?

"예, 결국에는 대중화연방(大中華連邦)이 될 거라고 생각합니다만 그렇다고 해서 각 성(省)이 독립해서 분열한다는 말은 결코 아닙니다. 몽골, 티베트를 포함해서요. 텔레비전의 보급으로 정보가 구석구석 미치게 됨에 따라 중국인도 편협한 내셔널리즘으로 인한 분열을 그저 옳게만 받아들이지는 않게 되었지요. 앞으론 지방정부가 대폭적인 자치를 획득해 나가게 될 겁니다."

-뚜렷한 확신이 있으시군요.

"1997년 이후로는 중국정부 스스로도 홍콩이 금융센터로서의 기능을 유지, 확대해 나가길 원하고 있습니다. 그렇다고 한다면 오늘날의 시장에서 가장 중요한 것은 정보가 되지 않겠습니까? 시장은 스물네 시간 쉬지 않고 정보로 돌아가고 있으니까요. 이 정보를 억제하게 되면 홍콩시장의 매력은 단번에 사라지고 맙니다."

-그렇다면 시장 중시의 자유주의 경제에 본보기를 삼고 계신 인물이라도 있으신가요?

"하이에크(Hayek Friedrich August von)와 칼 포퍼(Karl Riamund Popper), 통화주의자인 밀턴 프리드먼(Milton Friedman)을 들 수 있지요."

-세계 제일의 투자가 조지 소로스 역시 그들을 존경한다고 하더

군요. 말씀을 듣고 보니 당신의 자유주의적인 사고방식을 충분히 이해할 수 있을 것 같습니다. 최근 들어 민주 활동가들이 유럽 각지에서 자유, 인권을 부르짖고 있습니다만 그들에 대해서는 어떻게 생각하시는지요?

"중국은 무엇보다도 경제를 최우선으로 치지요. 중국에 느닷없이 민주주의 열풍이 불어 닥치는 것은 무리입니다. 중국의 역사와 전통에 비춰 봐도 적절치 않다고 봅니다. 때문에 저로서는 아직 그들을 평가할 수가 없군요. 시간의 대세를 타고 언젠가 자유민주체제가 오지 않는다고는 할 수 없지만, 그것은 아마도 반세기 정도 훗날의 일이 되지 않을까요?"

장룽파

에버그린 - 장룽파는 운임동맹이 체결된 해운업계에 '자유경쟁'을 무기로 내걸며 뛰어들어 화주들에게 대대적인 환영을 받았다. 1980년대에는 창룽해운(長榮海運)의 선박이 세계의 7개 바다를 항해하기에 이르렀다.

한 척의 중고선에서 세계 제일의 컨테이너 해운업으로 부상

장룽파(張榮發)는 대만 최대의 운수회사 '에버그린(Evergreen) 그룹'을 이끌고 있다. 장(張)은 1927년에 태어나 타이베이상업학교를 졸업한 후 오사카상선(大阪商船), 신타이해운(新臺海運) 등에서 근무했다. 1968년에는 대만을 거점으로 하는 해운회사 에버그린 마린(Evergreen Marine, 창룽해운(長榮海運))을 창립했다. 그 뒤, 새로운 사업에 의욕적으로 뛰어들어 세계일주 항로를 개척해 차츰 사업을 확대해 나가다 관련 육운업, 중공업, 건설업, 항공사업 분야에도 적극적으로 참여해 마침내 '에버항공(Ever航空)'을 설립하기에 이르렀다.

장(張)은 현재 20개 사의 기업과 1만 2,000명의 종업원을 거느린

에버그린 그룹의 총수다. 또한 국가정책을 위한 싱크탱크인 '국가정책연구센터'나 '양국교류원경기금회(兩國交流遠景基金會)'를 설립해 대만의 국익에 부응하는 정책을 계속해서 제언하고 있다.

장룽파(張榮發)가 태어났을 때 대만은 일본의 통치 아래 있었다. 그는 이란셴(宜蘭縣)의 작은 항구도시 쑤아오(蘇澳)에서 자라나 초등학교를 졸업하고는 곧바로 취직을 했다. 그가 처음 취직한 곳은 일본 해운회사 지룽(基隆)지점으로, 그곳에서 급사로 일했다. 그리고 마침내 1년간 선상근무 발령을 받았는데 열일곱 살이었던 그는 이때 육상과 해상근무의 경험을 쌓으며 해운업의 지식과 실무를 익혔다. 1944년에 선원이었던 부친이 조난을 당하는 바람에 장(張)은 졸지에 모친과 네 동생의 생계를 떠맡게 되었다. 1946년부터는 주로 선상 근무를 하게 된 그는 일하는 틈틈이 시간을 쪼개어 3등, 2등, 1등 항해사 자격을 취득했다. 한때 친구와 동업으로 해운회사를 차린 적도 있지만 시기상조였던지 하나 같이 성공을 거두지 못했다. 당시를 회고하며 장룽파는 다음과 같이 말했다.

장룽파 자서전

"공동경영의 기업은 규모의 대소를 불문하고 두 사람 사이에 생긴 의견충돌이 회사의 경영과 발전에 영향을 미치게 된다. 따라서 경영 초기에는 전문 경영인이 혼자서 중요 전략을 결정하고 전력 질주하여 철저하게 추진하는 독재스타일이 오히려 성

공적으로 이끌 수 있다고 본다." 　　　(「장룽파(張榮發)자서전」 중에서)

　장룽파는 1968년이 되어서야 비로소 '장룽파해운공사(張榮發海運公司)'를 설립할 수 있었다. 이 회사는 바나나와 목재를 운반하는 일본의 쇼와해운(昭和海運)에 중고선을 전세로 빌려 주는 일을 했다. 그런데 사업이 순식간에 궤도에 오른 덕분에 중고선을 추가로 구입해 극동과 중동을 연결하는 원양정기항로에도 참여하게 되었다. 그 이후로 일본과는 끊을 수 없는 강한 유대관계를 맺어 왔다.

　당시 동업조합의 형태로 이루어져 있던 해운업계의 운임은 국제적인 카르텔로 협정되어 있었다. 오죽하면 화주가 해운회사의 안색을 살피는 형편이었다. 그런데 단 한 척의 선박으로 원양정기항로를 취항시켰으니 사업으로 봐도 가히 대모험이었던 셈이다. 그 유명한 '버진애틀랜틱(Virgin Atlantic)'은 레코드상이었던 리처드 브랜슨이 세심한 서비스를 내걸고 런던-뉴욕간, 런던-도쿄간 노선에 진출해 성공했는데 그 원형은 바로 장룽파에게서 찾아볼 수 있다.

　장룽파는 운임동맹이 체결된 해운업계에 '자유경쟁'을 무기로 내걸며 뛰어들어 화주들에게 대대적인 환영을 받았다. 그 후 계속해서 원양정기항로를 증설해 나가 1980년대에는 창룽해운의 선박이 세계의 7개 바다를 항해하기에 이르렀다. 1984년에는 사상 초유의 컨테이너선에 의한 동서간의 세계일주 정기항로를 개설했다. 이러한 급성장은 창룽해운의 우수한 서비스는 물론이려니와 세계무역의 확대가 한몫 거들었다고 본다.

　당시 각 항구에는 굳게 결속된 화물 운반인들의 동업조합이 있었다. 그러나 장롱파는 머지않아 컨테이너선이 종래의 화물선을 대체하게 될 날이 올 거라고 확신했다. 그래서 장롱파는 1973년에 '창룽운수공사(長榮運輸公司)'를 설립해 육상 컨테이너 수송사업에 진출했다.

마침내 지금까지 겪어 온 모험을 종합적으로 시험할 운명의 기회가 다가왔다. 해운업계와 육운업계의 성공을 토대로 그는 1988년에 '창룽항공(長榮航空, Ever Air)'의 설립을 신청했다. 그러나 대만 국내의 정쟁에 휘말리는 바람에 창룽항공의 항공기가 최초로 하늘을 날게 된 것은 3년이나 뒤인 1991년 7월이었다.

그야말로 바다, 육지, 공중 수송의 전 분야에 참여해 종업원 1만여 명을 거느리는 대기업으로 우뚝 성장한 것이다.

변화에 민감하라

장롱파가 다음으로 진출하고자 하는 노선은 대만-중국 간의 직행편이다. 장(張)은 가까운 장래에 가장 유망한 항공루트의 거점은 푸젠성, 광둥성, 상하이가 될 확률이 높지만, 해운루트의 직행편에는 다롄(大連)과 홍콩이 참가하게 될 것이라고 예견하고 있다.

언젠가 그는 한 방송사와의 인터뷰에서 "중국인들은 체면을 너무 중시합니다. 이제 쓸데없는 고집일랑 그만 부려도 좋을 텐데 말입니다."라며 중화사상에 기인하는 사대주의적 체면을 비판하기도 했다.

장룽파가 젊은 사원들에게 늘 이르는 조언이 있다.

"항상 머리를 쓰도록 하라. 삼라만상을 그저 멍하니 바라보지 말고 항상 원리를 생각하는 습관을 지녀라. 물론 노는 것도 좋지만 그저 단순히 레저를 즐기는 차원이 아니라, 체험하고 접촉하며 실천한 모든 것에서 사업의 힌트를 얻으려는 발상을 갖는 것이 중요하다."

결국 그의 말은 '변화에 민감할 것', '사회의 변화를 감지하는 센스를 지닐 것'이라는 두 마디로 요약할 수 있다.

지금까지 홍콩과 대만, 중국을 걸치는 대표적인 3인의 얘기를 다뤄 봤는데 그들의 경영비결과 실패의 원인을 규명해 나가다 보면 실로 넘치는 인간미를 느낄 수 있다.

'화교상법'에는 이렇다 할 통일된 원칙이 없다. 단지 각각이 독특한 개성을 지니고 있을 뿐이다. 그들은 장사수완이 뛰어난 너구리나 여우가 아니라, 자신의 재능을 최대한 발휘해 인생을 밝게 꽃피우려고 노력하는 노력파 인물들이다.

8

유태의 신세대

블룸버그

금융정보제국 - 그렇다면 돈벌이가 될 만한 뉴스란 어떤 것일까? 그것은 바로 스포츠와 금융정보에 관한 뉴스이다. 젊은 시절의 블룸버그는 그 부분에 특화한 정보시스템을 구축한다면 틀림없이 성공할 것이라고 내다보았다.

블룸버그(Michael Bloomberg)의 뉴욕

9.11테러사건 이후 뉴욕 시장의 자리는 이탈리아계에서 유태계로 넘어갔다. 원래 뉴욕은 '쥬욕'이라고 불렸을 만큼 유태인 이민이 많았다. 지금도 뉴욕의 표밭에서는 유태계 유권자들의 힘이 막강하여 소수 아랍인들의 주장 따위는 통용되기 어렵다. 뉴욕에 덮친 그 끔찍한 동시다발 테러로 인해 부의 상징이었던 세계무역센터빌딩과 그 주변이 완전히 폐허가 되었다. 그래서 한편으로는 미국인의 단결력을 상징하는 성조기가 불티나게 팔리기도 했다. 국제무대에서 거의 독주하다시피 해 오만해질 대로 오만해진 미국사회는 이 사건을 계기로 통렬한 반성과 함께 재건의 위력을 세계 만방에 보

세계 금융시장의 중심 월가(Wall Street)

여 주었다.

만일 똑같은 테러사건이 일본의 수도권을 덮쳤다고 가정할 경우 미국이 보여준 단결의 모습을 과연 일본에서도 볼 수 있을까? 최근 일본의 정치가들 사이에서는 '국익'이라든지 '국민의 행복'이라는 소리를 좀처럼 들을 수 없게 되었다. 최근 일본의 정치가들은 제 나라 하나 똑바로 다스리지 못하는 주제에 '보더리스(borderless, 국경이 없음)', '세계동시주가하락', '캐피털 플라이트(capital flight, 외국으로의 자본도피)', '글로벌리즘(globalism, 세계화)' 등 그럴 듯한 소리를 잘도 늘어놓는다. 미국의 세제(稅制)가 일본보다 훨씬 유리하다고 떠들어대는 한심한 각료도 있다. 미국인이 처참한 테러사건의 수렁에서 그토록 빨리 일어설 수 있었던 것은 공동운명체 의식이 정신적 기반에 깔려 있었기 때문이다. 거품경제가 붕괴된 이후 살기가 각박해진 일본은 공동운명체의식을 간과해 왔다. 만일 상황이 계속 이런 식으로 진행된다면 일본사회는 유태나 화교와 어깨를 나란히 겨주지 못할 것이다.

인도의 어느 고관이 최근의 일본의 세태를 두고 다음과 같은 예리한 지적을 했다.

"평소 일본에 대해 많은 호감을 갖고 있던 차에 마침 일본의 젊은
이들이 나를 만나러 왔기에 이런저런 얘기를 함께 나눠 봤습니다.
최근 일본 젊은이들의 가장 큰 고민거리가 무엇이냐고 물었더니
고령화 사회의 무거운 짐을 어떻게 해결할지가 고민이라고 하더군
요. 전 그 말을 듣고 놀라지 않을 수 없었습니다. 부모님이 정성껏
돌봐 길러 주신 덕분에 자신들이 어엿한 성인으로 성장했는데 어떻
게 저런 말을 할 수 있을까 하는 생각이 들더군요. 그 말을 듣는
순간 그동안 일본에 대해 가졌던 호감이 싹 가셨습니다."

패전 이후 허리띠를 졸라매고 열심히 살아온 일본인의 에너지는
경제의 번영을 이룩함과 동시에 온데간데없이 사라졌다. 그뿐인가?
공통의 가치관과 공통의 체험의식이 희박해져 공동운명체의식은
아예 꼬리를 감춰 버렸다. 오히려 오만함만 더해져 아시아 각국으
로부터 빈축을 사게 되었다. 개인의 자아가 강하고 근시안적 사고
방식을 지닌 일본인의 현재 관심은 온통 자녀의 장래문제에 쏠려
있다. 그 예로 일본식 경영환경에서 흔히 볼 수 있었던 '한솥밥을
먹는다'는 공동체의 발상이 희박해졌음을 알 수 있다. 기업은 구조
조정과 해고를 남발하여 평생 회사를 위해 열심히 일해 온 사원을
내보내고 마침내 회사도 도산에 이르게 된다. 메이지유신(明治維新)
이래의 국가의 백년대계였던 GDP 세계 2위의 목표는 패전으로부
터 반세기만에 그 꿈을 이룩했지만, 일본의 현주소는 그 성공을 정

점으로 줄곧 내리막길로 치닫고 있다.

무엇을 할까 명확히 제시하라

화두를 다시 뉴욕시장 선거 얘기로 돌리기로 하겠다. 이미 줄리아니 시장이 은퇴성명을 밝혀 두었던 터인지라 그 테러사건만 없었더라면 명문도시 뉴욕의 시장은 분명 민주당으로 흘러 들어갔을 것이다. 당시만 해도 유태계 사업가 블룸버그가 뉴욕시장으로 당선되리라고는 아무도 예견하지 못했다. 공화당의 블룸버그에게 곱지 않은 시각을 보내던 『뉴욕타임즈』(2001년 12월 30일자)도 '줄리아니 시장의 그늘에 가려져 있던 존재가 어떻게…'라는 표제어를 실었다. 그에 이어 힐러리의 선거참모였던 하워드 월프슨의 "대화를 가만히 주고받다 보면 그는 역시 뉴욕시장 감으로 가장 어울리는 남성이라는 생각이 든다."는 말도 함께 소개했다.

블룸버그는 뉴욕시장 선거비용으로 8,900만 달러나 쏟아 부었다. 텔레비전 출연을 독차지해 온 블룸버그는 선거 막판에 가서 줄리아니 시장의 지지를 얻어 당선되었다. 뉴욕시민들은 블룸버그의 정치신조나 사상 등을 제대로 알지도 못한 상태에서 정치적 역량이 불투명한 그를 신임 시장으로 선택했다. 59세의 블룸버그는 자수성가하여 '금융정보의 제국'을 구축한 인물이다.

줄리아니 전 뉴욕시장은 무역센터 트윈타워의 붕괴현장 근처에 있는 성폴(聖Pole)교회에서 가진 퇴임연설을 통해 "9월 11일의 테러공격으로부터 수 시간 이내에 우리는 승리했다."고 밝혔다. 그리고 다음 해, 새로 선출된 신임 시장 마이클 블룸버그는 '전력을 기울여 뉴욕의 재건을 위해 노력하겠다'는 내용의 취임 첫 소감을 밝혔다.

극히 최근까지만 해도 로이터나 다우존스는 잘 알고 있어도 블룸버그에 대해 알고 있는 사람은 그리 많지 않았다. 하지만 역사와 전통을 자랑하는 로이터나 다우존스에게 블룸버그의 존재는 가히 위협적이었다. 창업한 지 불과 20년 만에 세계 90개소의 지국과 4,000명의 기자를 거느리게 된 블룸버그는 그야말로 초고속으로 성장했다.

24시간 뉴스를 방영하는 CNN은 타임워너와 합병했다. 더 나아가 타임워너는 AOL을 산하에 넣어 결국 'CNN · 타임워너 · AOL'의 형태가 되었다. 1991년 걸프전쟁 당시, 바그다드를 덮친 미사일을 가장 먼저 보도한 CNN의 뉴스에 전 세계의 이목이 집중되었으며, 북한의 김정일도 CNN뉴스만큼은 매일 빠뜨리지 않고 시청한다고 한다. 그만큼 CNN의 보도는 3대 네트워크보다도 신속하고 정확하다. 그런데 아프가니스탄 보도가 보여 주듯이 뉴스는 '돈벌이'가 되지 않는다. 그렇다면 돈벌이가 될 만한 뉴스란 어떤 것일까? 그것은 바로 스포츠와 금융정보에 관한 뉴스이다. 젊은 시절의 블룸버그는 그 부분에 특화한 정보시스템을 구축한다면 틀림없이 성공할 것이라고 내다보았다.

지금 세계의 스포츠 중계를 장악하고 있는 스카이TV(미국에서는 FOX TV)의 루퍼트 머독과 컴퓨터의 총아 빌 게이츠가 뉴스산업에 뛰어든 결과, 미국의 3대 네트워크의 세력도는 크게 바뀌었다.

블룸버그는 일본에서도 눈부시게 활약하여 1999년 12월부터는 일본증권업협회와 공동으로 일본의 주식 점두시장의 동향을 반영하는 4종의 '자스닥(JASDAQ)·블룸버그지수(JB지수)'를 개발했다.

한편 블룸버그는 미국 시장에서 몇 가지 전문잡지를 발행하고 있다. 우선 개인투자가를 대상으로 한 『블룸버그 퍼스널 파이낸스』, 머니 어드바이저(통화조언자)를 대상으로 한 『블룸버그 웰스 매니저』, 투자전문가를 대상으로 한 『블룸버그 TM마케츠』와 같은 잡지가 있으며 일반판매 잡지로는 『온 인베스팅』이 있다.

통신의 다른 분야에 괄목하다

블룸버그사는 뉴욕시장이 된 마이클 블룸버그라는 유태계 인물이 창설한 회사이다. 같은 통신사인 로이터나 다우존스가 모두 개인의 이름을 따서 기업이름을 지은 데서 착안해 블룸버그도 회사이름에 자기 이름을 넣었다고 한다. 하버드대 MBA출신인 그는 지독한 일벌레 기업가로도 유명하다. 1981년, 퇴직금 1,000만 달러를 받고 살로먼브라더스증권을 나와 어느새 금융정보특화사업인 통신사를 세웠다. 당초 30퍼센트 주주이기도 했던 메릴린치에게 정보소프트를 팔아넘긴 적이 있어 메릴린치계라고 오해를 산 적도 있다. 한 달에 1,100달러를 넘는 대금만 지불하면 컴퓨터 네트워크를 통해 누구나 그의 정보를 입수할 수 있다. 그는 컴퓨터를 통해 세계 각국으로 사용자의 망을 넓혀 나갔다. 2001년 12월 3일자 『비즈니스위크』지의 보도에 의하면 블룸버그사의 2001년도 매출실적은 25억 달러라고 한다.

블룸버그는 1990년에는 블룸버그 뉴스를, 1992년에는 금융정부 부문의 라디오 방송국을, 1996년부터는 위성방송 블룸버그TV를 창설했다. 그렇다면 지금부터 이 기적과도 같은 성공의 비결과 그 배경에 대해 살펴보기로 하자.

특화된 부가가치정보

살로먼브라더스증권에서 해고당했을 무렵, 블룸버그는 앞으로는 서비스산업 특히 금융기관을 대상으로 한 정보서비스의 수요가 확대될 것이라고 판단했다. 새로운 정보서비스 중에서도 부가가치가 높은 서비스가 아니면 시장에서 살아남을 수 없다고 생각한 그는 우선 증권자료의 수집에 나섰다. 결국 갖은 노력 끝에 수학의 초보자라도 정보 분석을 할 수 있는 컴퓨터 소프트를 제공하는 새로운 비즈니스를 창설했다. 요컨대 여행업계에서 아메리칸항공과 유나이티드항공의 전자예약 시스템이 이룬 역할과 마찬가지로, 그 같은 시스템을 금융정보에 활용하려는 계획이었다.

그 무렵의 대형미디어에는 거시적인 경제지표를 논할 만한 금융 전문 저널리스트가 없었다. '어음할인'과 '대부(貸付)'에 대한 개념의 구분은 물론 기업결산표의 분석방식조차 제대로 모르는 저널리스트가 금융기사를 담당하는 정도였다. 얼마 전까지만 해도 저널리스트의 생명은 전쟁, 혁명, 쿠데타를 쫓아 발 빠르게 보도하는 데 있었다. 하지만 냉전의 종결과 함께 도처에서 '돈'에 관한 정보에 대한 수요가 급증함에 따라 저널리즘의 관심도 '어디에 돈이 있고, 그 돈이 어디로 흘러가고 있으며, 누가 얼마를 벌었고, 누가 얼마나 손해를 보았는가?' 하는 내용으로 바뀌었다.

기초 자료화 한 주가정보를 즉석에서 끌어낼 수 있는 블룸버그의 컴퓨터 단말기는 금융계로부터 상당한 호응을 얻었다. 그의 성공 비결은 단말기를 통해 주식과 채권의 시세뿐만 아니라 과거의 가격 동향과 기업실적 정보 등을 체계적으로 정리해 함께 제공한 데 있었다. 몇 주 전 가격을 알아보려면 지나간 신문철을 뒤적거려야 했던 상황에서 블룸버그 방식은 가히 혁명적인 변화였다. 1990년대에는 세계 82개 도시에 지국을 설치해 텔레비전, 라디오의 방송사업에도 진출했다.

자서전『블룸버그』에 의하면 그는 어려서부터 부모님에게 세 가지 교훈―주의 깊게 관찰할 것, 세부에까지 주의를 기울일 것, 상대의 얘기를 귀 기울여 들을 것―을 듣고 성장했다고 한다. 유년시절의 그는 언제나 미지의 세계에 대한 스릴과 모험에 도전하여 뿌듯한 성취감을 맛보는 묘한 긴장감을 즐겼다.

'사실'과 '사견'을 혼동하여 보도하는 저널리즘보다는 '사실'만을 원하는 고객이 있을 것이다. 블룸버그는 수수의 부유층과 지식인을 대상으로 삼아 종래의 뉴스에서 결여된 부분을 제공하기로 했다. 이러한 기본구조는 로이터나 다우존스(월스트리트 저널의 발행원), 니

혼케이자이신문(日本經濟新聞)도 마찬가지로 갖추고 있지만, 블룸버그의 독창성은 '신속한 특화'에 있었다. 사용자가 필요로 하는 정보를 선택적으로 입수해 기업조사뿐 아니라 주식 및 채권의 매매, 금리계산을 동시에 같은 화면으로 검색할 수 있다. 게다가 쇼핑도 함께 즐길 수 있는 소프트웨어의 편리함은 이용자들로부터 대환영을 받았다. 블룸버그의 특화된 부가가치정보사업은 그를 순식간에 거부로 만드는 동력이 되었다.

이렇듯 블룸버그는 미디어의 패권을 노리는 빌 게이츠, 루퍼드 머독, 테드 터너와 같은 일군의 앞을 가로막고 선 막강한 라이벌이 되었다.

뉴욕시장이 되기까지

뉴욕 시는 동시다발 테러사건으로 큰 타격을 입었다. 당시 뉴욕에서는 '뉴욕의 재건'을 정점으로 한 뉴욕시장 선거가 한창 절정에 달해 있었다. 마이클 블룸버그(공화당)는 다른 후보들에 비해 뒤늦게 출마한 데다 일반 시민들에게는 거의 알려져 있지 않아, 뉴욕시의 행정감독관이자 인권파 변호사인 마크 그린(민주당)이 압도적으로 유리하다는 하마평(下馬評)이 나돌기도 했다. 하지만 블룸버그는 그 같은 불리한 상황을 극복하고 뉴욕시장으로 당선되었다.

뉴욕의 선거전은 유태주민의 영향력이 강한 데다 대부분의 유태인은 민주당을 지지하는 성향을 보인다. 그 압도적인 민주당 지반을 배경으로 마크 그린은 시종 20퍼센트 이상의 격차를 보이며 우위를 달렸다. 그 때문에 블룸버그는 유태계가 강한 뉴욕지역의 정치사정을 감안해 민주당에 다액의 정치자금을 기부하기도 했다. 2001년 부시 정권의 탄생과 동시에 블룸버그는 돌연 공화당으로 전적했다. 이로 인해 블룸버그는 민주당으로부터 '지조가 없다', '배신자', '일관성이 없다'는 비난과 공격을 받기도 했다. 하지만 때마침 당파를 초월한 뉴욕시민의 단결을 요구하는 여론이 들끓고 있던 터라 고비를 무사히 넘길 수 있었다.

9월 11일의 동시다발테러사건 이후, 뉴욕의 재건을 위한 진두지휘의 역량을 평가받은 줄리아니 시장(작년 말 『타임』지의 올해의 남성에 선정되었다.)이 선거전 막판에 블룸버그에 대한 지지를 표명하고 나섰다. 이것이 결정타가 되어 블룸버그는 그린 후보를 맹렬히 추격해 뉴욕시장으로 당선될 수 있었다. 선거 직후에 가진 기자회견에서 블룸버그 신임 시장은 "테러리스트에게는 결코 굴복할 수 없다. 당파를 초월해 우리는 하나로 결속했다."며 비장한 결의를 다졌다.

아무리 그렇다 해도 테러로 타격을 입은 맨해튼 금융가의 재건과 실업문제, 경비강화는 결코 쉽게 해결할 수 없는 난제임에 분명했다. 줄리아니 전 시장과 블룸버그는 2001년 12월 초순 이스라엘로 건너가 수도 예루살렘에서 일어난 자폭테러의 현장을 방문했다. 같은 테러의 피해를 입은 예루살렘의 시민들에게 블룸버그는 양 두시의 연대감을 호소했다. 또한 자폭테러의 현장에서는 예루살렘 시민들과 함께 희생자들의 넋을 기리기도 했다.

뉴욕시장으로 취임한 후, 첫 번째로 단행한 조치는 '20퍼센트의 인원삭감'이었다. 2002년도 뉴욕의 세입이 40억 달러가 부족하다는 보고를 받은 블룸버그는 급여를 받지 않겠다고 언명했다. 한편 뉴욕에서 더 이상의 기업이 빠져나가지 않도록 증세도 하지 않겠다고 발표했다.

에비 코헨

월가의 신교조 - 자신만만하게 전개해 나가는 코헨의 주식분석의 저력은 철두철미하고 논리 정연한 숫자와 데이터, PER[33], PBR[34], ROE[35]에 있다.

그녀의 예측이 계속 적중하는 비결은 무엇인가?

뉴욕의 상징이라 하면 자유의 여신상, 무너진 무역센터빌딩 그리고 월가와 뮤지컬극장이 늘어서 있는 브로드웨이를 들 수 있다. 한때 월가에는 헨리 카프먼이나 알렌 사이나이, 조지 소로스와 같은 교조가 군림하기도 했다. 그들의 예측은 한결같이 정확히 들어맞았기 때문에 모든 이들의 관심의 대상이 되었다. 게다가 공교롭게도 그들은 하나같이 유태계 출신이었다. 에비 코헨(Abby J. Cohen)은 수

---

33) PER(Price Earning Ration): 주가 수익률.
34) PBR(Price Bookvalue Ration): 주가 순자산 배율.
35) ROE(Return On Equity): 자기자본 수익률.

년 전, IT붐의 예감이 일기 시작한 월가에 바람과 같이 등장했다. 워낙 느닷없는 데뷔였던지라 초기에는 그녀를 모르는 이들도 많았다. 하지만 지금 에비 코헨은 미국 전역의 시청자들을 사로잡는 증권분석가로서 그 명성을 떨치고 있다. 그녀가 뉴스에서 주식시장의 개황이랄지 앞으로 오를 듯한 주식종목에 관해 설명을 하기 시작하면 시청자들은 텔레비전 화면에 눈을 고정시킨 채 자리를 뜰 줄 몰랐다. 그로 인해 시청률이 떨어진 타방송국의 인기 쇼프로들은 방영시간대를 옮겨야 했다.

일류 증권회사 골드먼삭스의 주임전략가인 코헨은 50대 초반의 여성이다. 그녀의 분석 한마디로 다우평균지수가 무려 65달러나 상승한다는 말이 있어 그 인기는 하늘을 치솟았다. 당시의 루빈 재무장관도 그녀의 정확한 예측에는 새파랗게 질렸을 정도라고 했다. 그녀는 텔레비전 뉴스에서 투자가들에게 "주식투자는 강경하게 나가자."는 조언을 아끼지 않는다. 예를 들어 그녀가 "지금은 비록 하락세에 놓여 있지만 월가의 주식은 연내에 상승세로 돌아설 것이다. 따라서 문제없다."고 장담을 하면 마국인 투자가들은 다시 '사자주문'으로 몰려들었다.

철저한 이론 무장으로 임하는 강인한 파워

자신만만하게 전개해 나가는 코헨의 주식분석의 저력은 철두철미하고 논리 정연한 숫자와 데이터, PER, PBR, ROE에 있다. 예를

들어 "전미 하이테크 산업 산하의 S&P36) 500개 사의 기업실적이
좋은 점과 곧 회복하게 될 일본경제의 전망으로 미루어 볼 때, 미국
경제는 전혀 걱정할 필요가 없다."는 그녀만의 분석방식은 실로 논
리정연하다.

그녀의 부모는 폴란드에서 이주해 온 유태인이다. 뉴욕에서 자란
그녀는 코넬대학교(Cornell University)에서 컴퓨터이론과 경제학을 전
공했다. 그 시대 IVY리그37) 가운데 여학생의 입학을 허용한 학교는
이 코넬뿐이었다. 블랙먼데이 당시 코헨은 '드렉셀번햄램버트증권'
에서 근무했다. 그 이후 주식투자의 유형을 강경하게 밀고 나가
"오히려 최하의 바닥시세인 지금과 같은 때일수록 주식을
사야 한다."며 투자가들에게 거침없는 조언을 해주었다. 1993년
클린턴의 예산교서가 지나친 선심성 행정으로 이루어진 데 대한
실망으로 그 해만큼은 강경 자세가 다소 주춤했지만 그 외에는
1994년부터 5년 연속 강경 자세로 일관해 왔다. 그녀의 투자 조언
에 힘입어 미국주식을 계속 사들이는 다수의 투자가들 덕분에 그
후로도 코헨 붐은 계속되었다.

2001년 초, 주식이 대폭락했다. 하지만 그것은 9. 11테러사건으
로 야기된 것은 아니었다. 그녀는 일찍부터 IT산업이 붕괴할 것을

---

36) S&P: Standard and Poo'rs Corporation의 약자. 미국의 통계 서비스 회사. McGraw-Hill
의 지회사이고 채권 7 닉 싱입이음의 이환율, 국가시수의 빌료, 릅흉롱세, 부사산내 롱의
출판사업으로 잘 알려져 있다.
37) IVY리그(IVY League): 하버드, 예일, 프린스턴, 콜롬비아, 펜실베이니아, 브라운, 코넬, 다트
모스 등 동북부 8개 명문대학.

예견하고 있었다. 주가가 하락하게 되면 대부분의 주식평론가들은 투자가들로부터 외면당하는 경향이 있는데, 사실 그러한 때일수록 기초지식이 탄탄한 평론가의 의견에 귀를 기울여야 한다.

현재 세계는 위기에 직면하고 있다. 거품경제가 붕괴된 1990년대 초반, 일본의 경제전문가들은 '금세 회복될 것이다', '투자방향은 바꾸지 않아도 좋다'는 식의 그저 희망사항에 지나지 않는 분석과 예측을 늘어놓았다. 하지만 그들의 예측은 대부분 빗나갔다. 어째서 일본에는 유태계 경제전문가와 같은 예리하고 빛나는 안목을 지닌 전문가들이 적은 것일까? 이유는 간단하다. 은행이나 증권사의 산하에 있는 싱크탱크의 입장에서 보면 모회사(母會社)에 난처할 만한 평론은 하기가 어려울 것이다. 또 관청의 경제전문가들 역시 실력은 분명 우수할 테지만 기존 세력에 맞서 가면서까지 독자적인 주장을 들고 나서게 되면 소외당하게 된다.

거품경제 붕괴이후, 금융·재정 및 금리정책의 실패로 인한 일본경제의 불황은 '전후(戰後) 최장기의 불황'이라는 오명을 남겼다. 기본적으로 경기순환을 기초로 삼고 있는 경제는 무엇보다도 산업의 기초적 요건을 중시해야 한다. 현재 난무하고 있는 경박한 경제예측은 대부분 산업의 기초적 요건은 아랑곳 않은 채 시장과 컴퓨터 쪽에만 눈길이 가 있다. 경기의 선행지표는 주가 및 투자가들의 동향에 관한 뉴스에 대해서도 상세하게 파악해 둘 필요가 있다. 에비코헨은 물론 월가의 유태계 분석가와 전략가 및 경제전문가들은 이러한 점까지 치밀하게 살펴 분석을 실시한다. 중요한 점은 그들은 소속된 회사의 방침과 자신의 주장이 달라도 소신을 갖고 자신감에 넘치는 분석을 한다는 것이다.

　문명도 흥망을 거듭해 영고성쇠(榮枯盛衰)의 사이클이 있듯이, 근세 이래의 금융시장은 '포르투갈 → 네덜란드 → 영국 → 미국'을 무대로 돌아가고 있다. 많은 경제전문가들이 다음 차례는 중국으로 흘러갈 것이라고 관측하고 있는데 그것만큼은 미지수이다. 화교라는 종족은 국가를 위해 단결하는 경우가 거의 없기 때문이다.

9

유태인과 화교의 공생

유태인과 화교의 공생

유태인과 화교가 할리우드에서 '공생'을 시작했다

공산주의혁명이 발생한 이후부터 닉슨 미 대통령의 중국방문 (1972년) 때까지 중국은 쇄국정책을 고수해 왔다. 오랜 기간 동안 우물 안에 갇혀 있던 개구리가 외부세계를 모르는 것은 당연한 일이다. 최근 히피를 모방한 상하이 젊은이들의 모습을 보고 그것을 마치 중국의 신세대 모습이라고 오해하기 쉽다. 하지만 8억 이상의 중국인은 여전히 농민문화에 뿌리를 둔 보수적 사고방식을 지니고 있다.

한편으로는 중국정부가 개혁개방노선으로 전환한 뒤 40만 명 이상의 중국인이 미국으로 유학을 떠났으며, 그중 14만 명이 본국으로 돌아가 각 분야에서 맹렬하게 활동하고 있다. 그들 대부분은 유학 과정에서 세계의 상식과 하이테크 지식을 익혔다. 또 더러는 뛰어난 디지털 감각을 활용한 영상비즈니스의 전망을 익히고 돌아온 이들도 있다. 또 중국 공산당은 당대회 진행 장면을 텔레비전에 공개하도록 허용했으며, 2002년 가을에 열린 제15회 당대회부터는 기업가 및 사업가의 입당을 받아들이는 등 상당한 변신을 보이고 있다.

특히 그동안 서로 상반된 위치에 놓여 있던 유태인의 상술과 화교의 상술이 할리우드에서 융합한 장면에는 중국의 급속한 변화의 모습이 집중적으로 나타나 있다. 때는 바야흐로 국제화시대, 유태인과 화교는 그 누구보다 재빨리 정보화사회의 변화의 물결을 타고 세계의 시장으로 진출했다. 이 점에서 볼 때, 일본은 완전히 뒤쳐져 있다.

화교가 착안한 것은 시대의 변화를 상징하는 영상비즈니스, 특히 유태인이 압도적인 영향력을 행사하고 있는 할리우드 영화산업 분야였다. 우선 구로사와 아키라(黑澤明) 감독의 사망 이후에 쇠퇴의 일로를 걷고 있는 일본영화의 이면에서 눈부시게 활약하고 있는 아시아영화의 움직임과 함께 그들의 활약상을 살펴보기로 하자. 아시아영화의 가장 역동적인 변화라 하면 역시 중국영화의 진보를 들 수 있다.

현대 중국영화를 대표하는 로우 이에 감독이 '두 인어아가씨'는 상하이 뒷골목을 무대로 한 고독한 남녀의 사랑이야기를 다룬 영화이다. 이 작품은 로테르담 국제영화제 최고의 영예라 할 수 있는 타이거상을 수상했다. 이탈리아의 명화 '일 포스티노'와 비슷한 분위기의 '산의 우편배달'은 산악지대를 돌아다니며 우편배달을 하는 아버지와 그 뒤를 잇는 아들에 관한 이야기를 잔잔하게 그린 영화이다. 포 젠치이 감독은 '적은 제작비로 오직 예술작품을 만들려는 순수한 의욕에 불탄 동료들이 모여서 만들어 낸 영화'라며 제작소감을 밝혔다. 중국영화의 평균 제작비는 엔화로 환산해 450만 엔 정도 든다고 한다. 포 감독의 '산의 우편배달'은 1980년대 중국을 배경으로 한 작품으로 유랑극단의 네 젊은이의 사랑과 우정을 그린 영화이다. 당시 중국에서는 한창 개혁개방정책이 진척되어 사회적 가치관은 실로 다양했다. 한창 유행하기 시작한 새로운 스타일의 헤어스타일과 청바지, 선글라스, 외국노래 등 새로운 문물이 물밀 듯이 몰려드는 시대적 배경 안에서 전개되는 청춘 이야기를 세밀하게 묘사했다. 격동의 물결은 중국 오지의 작은 마을에 사는 극단원의 생활과 사고방식조차도 변화시켰다. 배경음악으로는 서양의 경음악이 깔리고 어수룩했던 시골 소녀가 느닷없이 퍼머를 하여 변신하는 등 잔잔하면서도 급속한 변화의 물결을 느낄 수 있다.

이 영화는 중국 최고의 영화상인 금계상(金鷄賞) 최우수작품상을 받았다. 또 베네치아 영화제에 출품한 '플랫폼'은 최우수 아시아영화상의 영광을 안았다. 지아 장커 감독은 "공산정권에 대한 좌절감을 맛본 1980년대는 나에게 아련하고 애절한 추억이 남아 있는 시대."라고 말했다. 영화 내용 가운데 톈안먼사건을 독특한 방식으로 다룬 대목은 특히 흥미로웠다. 스크린에서는 그 대대적인 사건을 단지 라디오 뉴스의 보도에 그치는 설정으로 되어 있는데 그것은 중국 젊은이들의 무언의 주장이라고 받아들일 수 있다.

누구보다 먼저 할리우드에 진출한 홍콩영화계에서 최근 10년간 톱스타의 자리를 굳히고 있는 배우라 하면 량 자오웨이(梁朝偉, 이하 양조위)와 장만위(張曼玉, 이하 장만옥)를 들 수 있다. 그 두 사람이 공연한 「화양연화」(花樣年華, 미국영화 제목은 'In the Mood for Love'이다.)는 불륜에 빠진 중년 남녀의 사랑이야기를 다룬 영화로 왕자웨이(王家衛, 왕가위) 감독의 작품이다. 그 테마의 설정만 보더라도 재빨리 국제화 물결을 타고 미국시장을 겨냥했음을 알 수 있다. 홍콩 영화는 보통 3개월이면 촬영이 끝난다고 하는데, 이 작품은 1년 3개월이나 걸렸다고 한다. 양조위는 이 작품에서 칸느 국제영화제 남우주연상의 영광을 안았다. 미모의 여배우 장만옥은 미스 홍콩 출신으로 이미 80여 편의 영화에 출연하여 세계적인 스타가 되었다. 이 두 사람에 관한 기사는 『타임』지에서도 대서특필된 바 있다.

영화도 역시 정보 조작의 무기이다

'할리우드는 유태인이 점령하고 있다'는 정보 조작 음모설이 일세를 풍미했던 적이 있다. 실상은 그렇지 않은데, 아마 지금까지 이스라엘 독립운동을 과도하게 차양하거나 '십계', '벤허'와 같은 유태·그리스도적 가치관이 짙은 일련의 영화가 양산된 탓에 그러한 루머가 나돌지 않았나 싶다.

순진무구한 일본인 대부분은 할리우드영화의 배후에 깔린 미국의 정치선전을 곧이곧대로 받아들여 동화되곤 한다. 이 한 가지만 놓고 보더라도 영상은 정보 조작의 무서운 위력이 있음을 알 수 있다. 대부분의 할리우드영화에서는 '미국의 정의'를 전면에 내세운다. '사상 최대의 작전', '진주만'과 같은 전쟁영화는 일방적인 전승국 사관(戰勝國 史觀)으로 일관되어 있다. 스토리의 전개가 구미 중심으로 짜여진 '아라비아 로렌스'에 대해 중근동(中近東)에서는 불만이 거세게 일기도 했다.

'정의는 항상 미국에 있다'는 독선의 구조가 깔려 있는 할리우드에서는 파시스트나 나치스에 대해서도 철저히 규탄하고 있다.

할리우드 영화는 한결같이 미국만이 정당하고 미국인만이 자유와 정의의 구현자라는 자기중심의 유아독존사상으로 일관되어 있다. 그러한 사상을 전형적으로 그린 최근의 작품으로는 '블랙 호크 다운(Black Hawk Down)'을 들 수 있다. 소말리아 상륙작전에 가담한 미 특수부대의 병사들을 영웅적으로 그리고 있는 이 영화는 국무성의 협조를 얻어 제작되었다. 그러나 전쟁의 실상은 영화의 내용과는 정반대였다. 1993년 10월 3일, 최신예 헬리콥터 '블랙 호크'로 모가디슈에 진입한 미국 특수부대가 소말리아군에 의해 격추되어 미 병사 19명이 사망했다. 게다가 병사들의 사체가 여기저기로 끌려 다니는 충격적인 장면이 미국 전역으로 방영되어 정권 내부에서는 미군 철수론이 들끓기도 했다. 단지 '인기작전'의 일환으로 군사개입을 시도했을 뿐인 클린턴 정권은 미련 없이 철수를 단행했다. 미국으로서는 실로 불명예스러운 군사행동이었다. 이슬람 원리주의 과격파 빈 라덴 일당이 자행한 폭탄테러는 결국, 우유부단하고 일관성이 결여된 클린턴 정권의 군사작전의 입안과 명령, 그로 인한 뼈아픈 실패가 빚어낸 결과라 할 수 있다.

할리우드의 색채가 달라졌다

그러한 미국 정의사관이 현저하게 변화하기 시작했다. 최대의 변화는 중국과의 '공투(共鬪)'가 아닌가 싶을 만큼 할리우드가 중국 및 중국인에 대해 미묘하게 움직이기 시작했다는 점이다.

미국에서는 자유주의 세대가 영화의 메가폰을 잡은 이후부터 베트남전쟁에 대한 자성 내지는 미국의 정의사관에 대한 각성에 의해 만들어진 영화가 몇 편이나 흥행에 성공했다. 프랑스와의 합작 '인도차이나', '연인' 등도 식민지정책에 대한 반성의 색채가 짙다. 그러한 감성적인 영화에 반발하는 보수층도 적지는 않다. 물론 공화당계의 반대의 입장에 선 영화, 즉 앵글로색슨적 사관의 액션영화(실버스타 스텔론 주연의 '람보' 등)도 대량으로 만들어졌다. 공화당계 보수파를 대변하는 스타로는 한때 존 웨인이 있었으며, 현재는 아놀드 슈왈츠제네거, 브루스 윌리스 등이 있다. 한편 민주당 계열에는 리처드 기어, 로버트 레드포드 등이 있다. 그들이 열연한 영화는 '미국의 정의'가 아니라 '인권'을 그 테마로 삼고 있다. '티베트에서의 7년', '쿤둔'과 같은 영화는 중국의 티베트 침략과 지배방식, 인권무시의 실상을 정면으로 비판했다.

특히 톈안먼사건이래 지나친 인권탄압으로 미국의 심경이 편치 않았던 시대에는 중국인을 풍자한 영화가 제작되기도 했다. 미국은 그 어느 나라보다도 중국인의 불법이민과 밀항으로 골치를 앓고 있다. 미국 각지에 형성된 거대한 차이나타운은 범죄의 온상이 되었던 터라 종래의 할리우드 영화에서는 대부분 차이나타운이 '악마의 소굴'로 묘사되었다. 중국 마피아가 악역으로 등장하는 '리쎌 웨폰 4'에는 반 중국감정이 노골적으로 드러나 있다.

그러나 지금 할리우드는 격변하고 있다. 중국인 스타가 줄지어 탄생하고 있는 할리우드에 영화제작을 위한 화교 자금이 쉴 새 없이 쏟아져 들어오고 있다. 이것이야말로 '유태인과 화교의 공생'이라는 새로운 시대의 개막을 상징하는 것이다.

그 변화의 단초가 된 스타는 4반세기 전에 무술 영화의 주인공이었던 브루스 리(이소룡)이다. 지극히 단순한 줄거리의 권선징악을 다룬 영화가 대부분으로 악한들은 언제나 마지막 부분에 가서 모조리 섬멸되었다. 다소 격렬한 액션이 클라이맥스 장면의 꽃을 피웠다. 할리우드의 진출을 맨 처음 시도한 것은 바로 홍콩 배우들이었다. 일본의 마쓰시타(松下)와 소니(SONY)는 거금을 털어 모처럼 할리우드 영화를 매수했는데 별 재미도 보지 못한 채 물러서고 말았다. 일본의 국익이 되는 영화는 한 편도 제작하지 못하고 알짜배기 영화는 미국인 임원과 프로듀서에게 전부 빼앗겨 결국 비싼 대가를 치르고 매수한 콜롬비아 영화는 엄청난 적자를 내고 말았다. 그 후 회사가 다시 유태계에게 넘어가 마침내 할리우드에서 물러서는 추태를 보였다.

그러나 아시아 경제가 향상되어 생활이 윤택해지자 아시아 각국의 영화 수준도 현격히 높아졌다. 대만의 '비정성시(非情城市)'가 그랑프리를 수상한 이후 세계의 영화인들이 아시아의 영화에 주목하기 시작했다.

화교 자금을 통해 세계시장을 노리는 영화가 할리우드에서 그것도 주연, 조연은 물론 대부분의 엑스트라까지 중국인 배우를 캐스팅해서 제작됐다. 최근 『타임』지의 표지를 장식한 '스타파워' 특집(2002년 1월 21일호)에서는 세계적인 인기를 과시하는 장만옥, 양조위, 리롄제(李連杰, 이하 이연걸)과 같은 중국인 배우들이 한 자리에 모였다. 그중 '리쎌 웨폰 4'에서 잔인무도한 살인청부업자 역을 맡아 주목을 끌었던 이연걸은 주연인 멜 깁슨보다도 훨씬 눈에 띄는 명연기를 보여 주었다.

『타임』지의 한 기자는 "그들은 단순한 격투영화에서 문화와 중화사상, 역사를 테마에 삽입하는 새로운 물결이다."라고 평가하기도 했다.

어째서 유태인이 할리우드영화를 지배할까?

어째서 유태인이 영화산업을 독점하게 되었을까? 어째서 유태인이 영화사업에서 압도적인 지위를 차지할 수 있게 되었을까?

할리우드의 역사를 정리해 보는 가운데 그 수수께끼를 풀어나가 보자. 그 대답은 다소 역설적이긴 하지만 미국인의 유태인에 대한 차별이 그 효시라 할 수 있다. 미국 건국 당시, 종교적으로는 프로테스탄트가 주류를 이루었고, 인종적으로는 앵글로색슨이 압도적인 우위를 보였다. 건국 초창기의 유태인 이민은 대부분 공산주의혁명의 박해를 피해 우크라이나 등지에서 건너온 사람들이었으며, 그 후 나치스의 유태인 탄압이 시작됨에 따라 독일 및 체코, 헝가리, 폴란드에서 건너온 이민이 증가했다. 당시 미국의 건국이념은 유럽의 가치관과 전통이 그대로 유입되어 있던 터라, 박해를 피해 미국 땅으로 건너가긴 했어도 유태인 이민은 여전히 출신지에서와 마찬가지의 소외를 받아 변변한 직업을 가질 수가 없었다.

오늘날 대부분의 유태인들이 직업으로 삼고 있는 대학교수나 변호사와 같은 직업은 세계대전이 끝나고 나서 얼마 동안은 꿈도 못 꿀 일이었다. 물론 현재는 소위 지식계급이라 불리는 직업 분야에서 유태인이 주류를 이룰 만큼 상당수가 활약하고 있지만 말이다.

할리우드영화의 전면에 유태의 발상을 제시하다

현재 미국 최대의 정보산업이라고 하면 주간지 『타임』과 인터넷의 왕자 AOL을 산하에 둔 '워너(정식으로는 타임워너 AOL)'를 들 수 있다. 그 워너는 영화회사 사주인 유태이민 워너브라더스의 후예이다. '20세기 폭스'의 사주 역시 유태이민의 자손이다. 파라마운트나 MGM의 사주도 유태인의 자손이다.

즉 정해진 직장을 구하지 못한 유태이민의 자녀들이 산업의 빈틈을 노려 일으킨 초기의 구멍가게식 산업이 영화로 치달은 것이다. 그 영화산업에 자금을 빌려준 장본인 역시 같은 처지의 가난한 이탈리아계 이민자들이었다. '대부', '원스 어펀 어 타임 인 아메리카(Once Upon A Time In America)'와 같은 이탈리아 마피아물이 미국에서 속속 히트를 친 수수께끼의 해답은 바로 여기에 있다. 유태인과 이탈리아 마피아가 손을 잡은 것이다. 중국의 화교자본이 장차 영상산업의 본격적인 진출을 서두르고 있는 것도 '대부'의 제작과 성공에 힘입은 바 크다.

여하튼 현재 할리우드는 스티븐 스필버그, 올리버 스톤과 같은 유태계 명감독과 커크 더글러스와 마이클 더글러스 부자(父子), 우디 알렌, 더스틴 호프먼과 같은 유태계 명배우가 주류를 이루게 되었다. 그들의 일부는 할리우드 영화의 주조를 이루는 앵글로색슨 사관에 의구심을 품어 1970년대부터는 인권사상을 전면에 나타낸 영화를 제작하게 되었다.

소프트뱅크의 경영인으로 크게 성공한 재일 한국인 3세 손정의(孫正義)나 일본의 연예계에서 활약하고 있는 수많은 외국 연예인 대부분도 차별과 싸워 오늘의 위치에 서게 된 주인공들이다. 미국의 성공이야기 이면에는 신대륙 미국에서의 차별과 투쟁해 온 유태인 이민의 처절한 모습이 숨어 있는 것이다.

재미화교의 경우도 이와 마찬가지이다. 하지만 화교는 전통적 가치관만큼은 버리지 않았다. 그들은 미국으로 이주해 갔어도 집단으로 한데 모여 살며, 로스앤젤레스나 샌프란시스코와 뉴욕에 대형 차이나타운을 형성했다. 굳이 애써 영어를 배우려 하기보다는 자신들의 고국어로 대화를 주고받았고, 지연을 중시하고 혼혈의 탄생을 꺼린 까닭에 중국인끼리 결혼하여 혈연을 넓혀 나갔다.

따라서 미국에 거주하는 대부분의 화인에게는 중국적 전통을 고수한 중국인의 체질이 짙게 남아 있다. 유태인과 화교의 결정적 차이는 바로 이 점에 있다. 유태인은 집단을 이루며 모여 살기보다는 교외의 멋진 지역으로 이주해 흩어져 살고 있다. '쥬욕'이라고 불리는 뉴욕에서조차 일부에 유태인이 경영하는 카페가 다소 있을 뿐, 지역주민 중에는 유태인이 거의 없다. 이렇게 판이하게 다른 차이점을 뛰어넘은 화교와 유태인의 할리우드 공생은 앞으로 우리에게 어떠한 교훈을 제시할까? 현 시점에서 그 추이를 예측하기에는 아직 이른 감이 든다.

후·기

유태인의 합리주의,
화교의 지연·혈연주의

노벨상과 미래학자는 유태인의 보고(寶庫)

노벨상은 세계최고의 두뇌에게 돌아간다. 하지만 최근 들어 '평화상'과 '문학상'에 관한 한, 쉽게 납득하기 어려운 대상에게 돌아가곤 하는데, 그것은 국제 정치적인 의도를 노골적으로 반영한 결과라고 본다. 주관이 개입되지 않은 물리, 화학, 경제학 분야의 노벨상 수상자는 유태인 혹은 유태계 미국인이 압도적으로 많다. 지금까지 중국인 수상자는 과연 얼마나 될까? 대만 총통 고문 리위앤저(李遠哲, 대만 중앙연구원원장)의 형으로 미국 국적을 지닌 리정다오(李政道)와 양전닝(楊振寧) 박사가 동시에 '물리학상'을 수상했을 뿐, 재작년까지 아무도 없었다. 2000년에 마침내 파리 망명 중이던 작가 가오싱젠(高行健)이 문학상을 받아 중국의 노벨상 수상자는 총 세 명이 되었다.

또 한 가지 주목하고자 하는 점은 '미래'를 예측하는 사회학 분야이다. 다니엘 벨, 앨빈 토플러와 같은 저명한 미래학자는 어째서 전부 유태인뿐일까 하고 의아하게 여기는 사람들도 많을 것이다. 그들은 과학적 합리주의에 근거해 수식을 중시하는 계량경제학, 컴퓨터 이론과 같은 분야에서 눈부신 업적을 쌓고 있다. 그리스도교의 입장에서 보면 유태인은 이교도로서 셰익스피어의 '베니스의 상인'이 심어 준 '수전노'라는 부정적인 이미지가 강하다. 그런데 그 시대의 영국에는 유태인이 거의 없었다고 한다. 셰익스피어는 그저 전해 내려오는 구문이나 떠도는 소문에 의해 부각된 선입관으로 그릇된 유태인상을 창조해 낸 것이다. 그러한 유태인상이 마치 유태인의 전형인 양, 유태인들은 심각한 오해와 박해를 받아 왔다. 홀로코스트(Holocaust, 제2차 세계대전 중 나치스 독일에 의해 자행된 유태인 대량학살-역주)에 고스란히 상징되듯이 유태인은 유랑과 난민의 민족이다.

이러한 유태사회에 '합리주의'와 '과학'이 왜 발달하게 되었을까? 그것은 박해와 차별에 대한 반발이 유태인으로 하여금 진실의 탐구에 매진하도록 한 결과라고 할 수 있다.

미국이 유태 편향이라는 말은 사실이 아니다

물론 이스라엘의 인티파다[38] 박멸작전을 목격했다면 '유태인은 변했다' 또는 '오만해졌다'는 비판이 나올 수도 있다. 하지만 그러한 성급한 판단은 유태인의 전체적인 모습을 파악하는 데 오해의 소지가 될 수 있다. 그에 앞서 최근 미국의 미묘한 움직임을 살펴보면 그 같은 오해가 어느 정도 풀릴 것이다. 우선 이스라엘의 팔레스타인 과격파에 대한 강경 노선에 대해 미국정부는 전면적으로 긍정적인 자세를 보이고 있지 않다. 더구나 미국의 매스컴은 '인권' 면에서 기본적인 일탈을 보이는 이스라엘에 점수를 상당히 짜게 주고 있다. 이스라엘 편향색이 짙은 『뉴욕타임즈』나 『워싱턴포스트』에서 조차 사설 내용이 냉담하고 비판적이다. 가장 놀라운 사실은 부시 현 정권이 유태인에게 동조적이지 않다는 가혹한 사실이다. 그에 더해 미국 내에서 아랍 로비 형성의 움직임이 현저하게 눈에 띄고 있는 점은 상황을 더욱 난감하게 만든다.

부시 정권의 이스라엘 정책은 지금껏 펼쳐 온 유태 로비공작의 예상을 완전히 뒤집었다. 부친인 부시 전 대통령이 '걸프전쟁'에서 보여준 정책과는 그 색채가 상당히 달랐다. 원래 석유커넥션과 연루되어 있는 부시 정권은 사우디아라비아 중시의 경향을 보여 왔다. 하지만 9·11테러사건 직후, 소위 '불후의 자유작전'이라 불리는 빈 라덴 박멸전쟁을 수행하는 과정에서 이스라엘과의 대화는 거의 진척되지 않았다. 뿐만 아니라 아프가니스탄 문제를 해결하는

---

38) 인티파다(Intifada): 이스라엘 점령의 가자(Gaza)지구 등지에서 일어난 팔레스타인들의 봉기.

과정에서 부시 정권은 팔레스타인의 국가 건설을 용인하는 방향으로 외교정책을 전환시켰다. 이스라엘의 샤론 수상과 페레스 부수상 겸 외상도 초조한 기색을 감추지 못할 만큼 미국은 팔레스타인에 동조적인 자세를 보이며, 이슬람세계를 중시하는 방향으로 돌아섰다. 종래의 사우디 중시 일변도에서 이집트, 터키 중시로 축을 옮겨 이란을 융화시키는 한편 아시아에서도 인도네시아로 급격히 접근하기 시작했다.

그렇다고 미국이 이스라엘을 완전히 단념하였거나 저버린 것은 아니다. 예를 들어 이슬람원리주의 과격파에 대한 이스라엘 정보기관의 정묘하고도 정확한 정보, 특히 한발 늦은 휴민트(Humint, 인간관계에서 확도 높은 정보를 입수하는 공작-역주)로 동시다발테러를 막지 못한 CIA, FBI의 뼈아픈 자성에서도 첩보에 뛰어난 이스라엘을 결코 소홀히 대할 수는 없다. 미국은 대(對)이스라엘 원조비용 가운데 9억 달러를 삭제하겠다고 발표했는데, 군사원조 부문의 20억 달러에 관해서는 현상을 유지하기로 했다. 단, 2002년 1월 29일에 발표된 대통령 일반교서에서는 이란, 이라크, 북한이 '악의 축'으로 규정되었기 때문에 향후 중동문제 내에서 이스라엘의 비중이 다소 올라갈 것으로 보인다.

차이나 로비의 양상도 바뀌었다

중국의 재미로비스트들의 암약상은 일본의 로비활동과 비할 바가 못 된다. '대만 로비'는 밥 돌(Bob Dole) 전 국무장관(1996년 공화당 대통령후보), '베이징 로비'는 키신저(Henry Alfred Kissinger) 전 국무장관과 같은 거물급이 각기 그 필두에 나섰다. 예전부터 화교는 "정치에는 일체 관여하지 말라."는 부모의 가르침을 따라 정치와는 일정한 거리를 두어 왔다. 게다가 아시아로 흘러 나간 화교는 현지인 이름으로 바꾸어 공생의 길을 모색하긴 했지만, 중화문화만큼은 여전히 굳게 고수하였기 때문에 체질적으로 타문화에 쉽게 동화되지는 않았다.

미국은 인종의 도가니라 불릴 만큼 다채로운 민족이 만들어 낸 국가라 할 수 있다. 따라서 중국인도 미국에서만큼은 달랐다. 현재 미국에 거주하는 중국인들은 목소리를 높여 정치를 논하거나 자기만의 주장을 강하게 전개하기도 한다. 특히 3세, 4세 정도로 넘어가면 유창한 영어를 구사하는데다가 행동도 미국인과 아주 흡사하다.

아직 소수이기는 하지만 미국사회의 화교 신세대는 미국인과의 결혼도 주저하지 않는다. 대화를 나누다 보면 그들 화교 신세대는 민주당계 자유주의를 신봉하고 있음이 역력히 드러난다. 그들은 중국정부의 인권탄압, 민주주의 운동가에 대한 고문 등에 대해서도 전혀 주저함 없이, 거침없이 비판을 쏟아 붓는다. 그러한 그들이 미국 내 새로운 차이나 로비스트로 등장하게 된 것이다.

유태교는 있지만 화교교(華僑敎)는 없다

2천여 년 전, 유태인의 왕국은 현재의 이스라엘 부근에 있었다. 하지만 그 국가는 예수 그리스도가 태어나기 이전에 이미 로마에게 섬멸되었다. 따라서 유태인들은 유랑민이 되어 세계 각지로 흩어졌다. 모세는 바다를 둘로 갈라 유랑민 중 일부 유태인을 고향으로 보내는 기적을 보였다. 신으로부터 '십계'를 받은 유태교 예언자 모세는 민중을 이끌고 신앙 아래서 한데 뭉쳤지만 그 가운데 이교도와 이단자가 속출하여 유태왕국은 붕괴되었으며 유태민족은 다시 흩어지게 되었다. 그러나 유태교의 가르침을 마음의 지주로 삼고 있는 유태인들은 세계 어디에 있더라도 그 가르침만은 잠시도 잊지 않았다.

반면 중국인의 경우에는 현지에 동화되어 그 나라의 국적을 취득하는 화교가 많았다. '화교교'라는 신앙은 아예 존재하지도 않는다. 물론 중국인에 비해 유태인은 타인종과의 결합에 의한 '혼혈'에 대해 관대하긴 했지만 '유태교'만큼은 절대 잊지 않고 살아 왔다. 화교에게는 유태인의 구약성서와 같은 성서가 없기 때문에 화교교란 신앙이 존재하지 않는 것은 어찌 보면 당연한 귀결인지도 모른다.

하지만 일찍이 중국에는 유교와 노장사상이 일어나 제자백가(諸氏百家)[39]라는 다채로운 철학이 있었다. 그러나 유교는 시대의 변화와 함께 크게 변질되었다. 유교사상이 거의 남아 있지 않은 현대의

---

39) 제자백가(諸子百家): 중국 춘추전국시대의 제학자(諸學者) 및 제학파(諸學派)의 총칭.

중국사회는 윤리관이 무너지고 범죄는 그칠 줄을 모르며 대중은 배금주의로 기울고 있다. 해외로 나간 화교는 푸젠, 광둥 등 화난 지역이 그 중심을 이루고 있기 때문에 오히려 불교도가 많고, 재미 화교는 그리스교도가 압도적으로 많다. 중국의 전통에서 보더라도 유태의 일신교와 같은 절대적인 신은 소수에 불과하며 대부분이 다신교이다. 그러한 까닭에 민족이 한데 뭉치는 성전(聖典)은 존재하지 않는다.

쑨원(孫文)은 "중국인은 단결하지 않는 모래와 같다."고 말했다. 유태인 역시 단결하기를 워낙 싫어하는 민족이고 보면 개인의 자아가 강한 점은 양자가 비슷한 것 같다. 그러나 유태인은 성전의 가르침 아래서 끈끈한 '정신적 유대관계'를 이룬다. 그나마 전근대적 지연혈연을 무엇보다도 중시하는 중국인에게는 언제든지 돌아갈 거대한 조국이 버티고 있으니 금의환향의 꿈을 이룰 수가 있다.

유태인에게는 반세기 전까지는 국가가 없었다. 그리스도나 이슬람과 마찬가지로 일신교인 유태교는 유태의 신 이외에는 인정하지 않았다. 그 강렬한 자부심은 '자신들이야말로 선택된 민족'이라는 선민사상(選民思想)과 배타적 정신에 의해 지탱되고 있다고 본다. 하지만 그러한 완강함이 오히려 오해의 소지가 되어 세계 각지에서 갖은 차별과 피의 탄압을 받기도 했다. 유럽에서, 러시아에서, 미국에서 유태인에 대한 박해와 차별은 끊임없이 되풀이되었다. 그래도 2천 년간 유태민족이 지녀 온 꿈은 오직 신에게 약속 받은 국가 '이스라엘'을 건설하는 것이다. 19세기 종반에 테오 헤르즐(Teo Herzl)이 「유태인국가」라는 저서를 출간했다. 시오니즘(Zionism)의 제창자이자 저널리스트인 헤르즐은 팔레스타인에 유태인 국가를 건설하기 위해 1897년, 제1회 국제시오니스트대회를 열었다. 시오니즘이란 '시온의 언덕으로 돌아가자', '유태인 국가를 건설하자'는 내용의 유태국가 건설운동을 말한다. 이 시오니즘은 유럽 대륙에서 흩어져 살고 있는 수많은 유태인들의 지지와 호응을 얻었다.

제2차 세계대전 후, 구미의 주도로 UN은 아랍계 주민이 사는 토지의 일부에 이스라엘국가의 건설을 인정했고, 영국정부가 마음대로 국경선을 책정해 이주를 권장했다. 돌연 제3자에게 내쫓긴 형국이 되어 버린 팔레스타인은 아랍계 주변국가의 지원을 얻어 전쟁을 개시하기에 이르렀다. 그것이 바로 제1차 중동전쟁(1984년)으로 이스라엘 입장에서 보면 '독립전쟁'인 셈이다.

이쯤에서 서두의 내용과 연관 지어 보자. 유태인 가운데 우수한 과학자와 작가가 다수 배출된 가장 큰 이유는 타민족에게 받은 차별과 2천 년간의 유랑생활에서 나온 긴장감에서 기인한 것이리라. 다시 말해 차별이라는 '비과학성'과 박해라는 '비합리성'을 확실히 규명한 그들이 각국의 인습을 타파하기 위해 혁신적으로 사상을 창출한 결과다. 그것은 스피노자, 마르크스, 마르크제와 같이 한 시대의 획을 그은 사상가의 이름을 거론하는 것만으로도 충분한 설명이 될 것이다.

그러나 중국은 공자와 맹자, 노장사상이라는 대철학이 융성한 이후로는 화교 가운데 철학자가 배출되지 않았다. 이 대조적인 양상을 보이는 두 집단이 앞으로 어떻게 살아갈지 또는 어떠한 발상으로 임하게 될지 앞으로도 눈을 뗄 수가 없다.

본서는 유태와 화교의 '상술'에 관한 차이를 그 민족의 원류에 거슬러 다각적으로 분석한 것이다. 더러는 필자의 경험도 곁들였으며 등장인물 중 몇몇 사람은 직접 인터뷰를 하기도 했다. 과거에 중국에 관한 10권의 저서와 유태에 관한 2권의 저서를 출간한 바 있지만, 양자의 역사적 비교는 이번 시도가 처음이다. 따라서 정확한 자료의 입수를 위해 필자는 세계 각지에 거주하고 있는 지인들에게 새삼 조언을 구했다. 다행히 필자는 그 어떤 기관에도 소속되어 있지 않은 덕분에 고정관념과 편견에 얽매이지 않은 채 그들의 사상과 행동을 자유로이 분석할 수 있었다고 자부한다.